我最喜愛的聖經節：

世人哪 上帝已指示你何為善 祂向你所要的是甚麼呢 只要你行公義 好憐憫 存謙卑的心 與你的 上帝同行

（彌迦書六章八節）

主后二〇〇一年三月十四日 高俊明題

目錄

第2部 黑暗之光

第3部 理想年代

第4部 牧師娘之歌

第5部 福音山上

第6部 三次聲明

第7部 鐵窗修道院

第8部 眞理的天空下

望春風——二度文藝復興

出版序

發行人／林哲雄

文化是一個民族的根，根扎穩了，枝葉自然就會茂盛；相對的，民族的延續與文化的傳承，也是緊緊相連、密不可分。在今天，台灣創造了傲視全球的經濟奇蹟，以及傲視華人的政治奇蹟，但卻流失了不少根的養分。

由於台灣的教育界及媒體瀰漫著大中國意識，缺少台灣優先的傳統；再加上整個社會充滿了一切向錢看的功利主義，使年輕一代迷失了人生的方向，社會中的種種亂象，正腐蝕他們的心靈。因此我們必須抓緊流失的根，來推動當代台灣人文主義的再生運動，以台灣優先的精神，開創國際化、人文化、本土化的台灣新文化；並期待二十一世紀的台灣，能邁向創造「文化奇蹟」之路，而成爲二度文藝復興的發源地。

爲了使我們的台灣文化延續傳承，讓我們的下一代能有一個潔淨的成長環

境，望春風文化事業股份有限公司秉持著「台灣優先」的文化理想，決定出版好書——「望春風文庫」及「望春風傳記叢刊」，並致力推廣文化藝術活動，提昇全體人民的精神生活水準。

一九八三年，我們在美國催生了台灣文庫，建立了台灣傳記文學的新傳統；一九九八年落葉歸根，在台灣成立望春風文化事業股份有限公司，繼續出版傳記名著及文化名著。更希望能結合各界關心社會、熱愛文化的理想主義者共同投入，使此極具意義的「文化重建工程」，能在大家的齊心合力下發展與茁壯；使我們的下一代都能具備現代的國際文化觀，並充滿愛鄉的精神，藉由文化素養的提昇以淨化社會，並使台灣成爲東方文化的精神重鎭。

我所認識的高俊明牧師

楊啓壽牧師序

知道高俊明牧師的口述回憶錄將要出版，覺得興奮及欣慰。高牧師無論是在教會界、台灣社會甚至在國際間，已經是享有名望的人物，不用在此多說什麼。只是作爲他長期的同工和知心朋友，藉此說幾句祝賀及感謝的話。

我們首先在台南神學院認識，他是早我兩年的學長，很受師生們的敬重。神學院畢業後，有辦法的人紛紛出國深造，他竟然志願做原住民的巡迴傳道。當我神學院畢業後，被派到屏東九如教會工作時，他仍住在屏東市內，常有機會見面交談；也因爲他喜歡唱聖歌，我就彈琴爲他伴奏。

有一次，他邀我一同前往高雄縣三民鄉布農族的教會訪問，訓練教會詩班及傳道，這是我有生以來第一次進入深山的原住民教會。我們從屏東坐最後一班巴士前往甲仙，不料途中遇到崩山，被放鴿子，兩人不得不背著不輕的行李（內有送給原住民教會的藥品及食物），摸黑走了兩個多小時才到甲

仙。隔日又從甲仙走十個小時才到達目的地，中途沒有可果腹的商店，眞是筋疲力盡，至今難忘。但是，高牧師從未埋怨或訴苦過。因爲這些種種關係，後來他就邀我到玉山神學書院（現今的玉山神學院）一起工作。我就這樣踏上原住民教育的不歸路。

我們在玉山神學院同工約十年，從他的回憶錄可略知當時工作的艱難及辛苦。雖然如此，我們共同夢想原住民教會及人民的美景來彼此激勵。也許長年與單純的原住民在一起，我們養成了憤世嫉俗之情，哀嘆社會腐化甚至教會內種種虛僞；但相處在一起時，又盡所能挖苦對方，來減輕精神上的壓力，增加生活上的樂趣。我常對他說，我這輩子被他「害」得很慘，如同他的影子，不但擔起玉山神學院的重擔，後來又接了總會總幹事的重任。

如果要以一句話來陳述高牧師的爲人，我認爲他是一位心地眞正善良的人。他那仁慈的心，又能藉著他的人格及行爲，很自然地流露出來。出於這樣的愛心，他關心原住民及被壓迫的台灣人民。他有如唐吉訶德不惜一切追求理想，很天眞的一面；但也因爲他的善良，所以也吃了不少虧。其實他一生的歷史是最好的寫照，不用他人贅述。

我眞感謝在這一生，認識高牧師，並與他成爲長期同工及共患難的朋

友（我從沒向他說過這樣「肉麻」的話）。這世上並沒有完全的人，但最可貴的乃是眞誠心靈。希望更多的人，透過高牧師的回憶錄，感受到他那敬神愛人、無僞心靈及堅持原則、追求理想的勇氣。

脫蛹的蝴蝶，翩然的風采

賀《高俊明牧師回憶錄》出版

林義雄序

對我來說，高牧師一直是人生中極珍貴的良師益友。從在牢中相識、相知後，二十多個年頭來，我們之間一直維持著平淡如水的樸實情誼，雖沒有「相濡以沫」的密切，卻是另一種「相忘於江湖」的相知和默契。每次想到他的風範和情誼，總是令人欣慰，更令人珍惜。

如果要我描述一種完美的形象，我想高牧師是相當接近了。在我心目中，他是知識份子的典型，也是修道者的典範。認識他這麼長的年月中，我不曾看過他對人有不耐或無禮的對待，不曾見他發過脾氣口出惡言，似乎一般人會有的缺點，在他身上都看不見。作爲一個知識份子，他全方位的進修和才華，讓他在實踐理想良知的道路上，充盈著信心和內涵。作爲一個修道者，他恆久的

慈悲忍耐，更讓他渾身充滿智者的氣度。無論在何種情境下，他總是謙沖自牧、進退有據，帶給人無限的祥和平靜。

許多朋友說，在高牧師面前常會不自覺肅然正經起來，我想那是因爲他嚴謹自律而呈顯的正義氣質，使人有「望之儼然」的感覺。其實，眞正和他相處，就會發覺和他作伙是相當自在輕鬆的事情。也許這正是因爲他寬容溫和的性格，才會給人「即之也溫」的感受吧。

我們相知在陰暗的監牢中。比鄰而居的「緣份」，讓我在最艱困的時機，相遇最高貴的靈魂。那時，困居牢房的他，仍不放棄任何可能的方式，孜孜不倦進行傳道的工作。他不間斷的靜思靈修、朗誦聖經、吟唱詩歌，堅定的聲音穿過苦難、穿過壓迫、穿過黑牢的銅牆鐵壁，撫慰了牢友受傷的心，也傳布了愛的希望。在獄中，洗碗、洗馬桶、整理牢房等勞務是由室友一同分擔，由於他的年齡比同室的牢友大，大家基於對他的尊敬，不肯讓他分擔工作，他卻堅持一定要和牢友們平等的分工。他以一種堅毅質樸的風格，自然而然的將一個傳道者的信念和愛心，感染給周遭受苦的人們，不依靠華麗的詞藻，不依恃權威的高調，讓人直接從他身上，感受著正道的價值和信仰的力量。

《十字架之路——高俊明牧師回憶錄》貫穿了悠長的歲月，使我們相當幸運地看到一個高尚人格孕育的過程。在這部以溫柔的口吻娓娓道來的自述中，讓我們和他重回殘忍冷酷的歷史現場，體會一份在哀傷苦痛中，不放棄不怨恨不詛咒的愛的精神。對我來說，展讀之際，更格外有些特殊的欣喜，欣喜於在其間溫習了我們並肩奮鬥的生命軌跡，以及橫亙二十多年的時光中，不需多言、沒有約束、但卻細水流長在悠悠歲月中的情誼。

多年前，高牧師在獄中的一首詩作曾經深深的感動我：

我求主　給我一束鮮花　但　祂給我一棵又難看又有刺的仙人掌
我求主　給我幾隻美麗的蝴蝶　但　祂給我許多又醜陋又可怕的毛毛蟲
我震驚　我失望　我哀嘆！
但　經過許多日子
我　忽見那仙人掌盛開了許多鮮豔的花
那些毛毛蟲也變成
美麗的小蝴蝶　飄舞在春風裡
上帝的旨意最美善！

這首小詩正足以用來檢視、印證本書中所描述的生命軌跡。在絕望中盼望，在艱辛中感恩，在困惑中瞭解，在每一個人生課題中謙卑，在信仰的力量下達觀的精神，正是這本回憶錄最美善的註解。

台灣人原型

李喬序

我在《十字架之路——高俊明牧師回憶錄》出版前就拜讀了。一般說法是很意外的機緣，基督徒的感受則是上帝的巧妙安排。這是很奇特的閱讀經驗。近年來胸懷中堆積了不少垃圾雜碎，經《十字架之路》的沖刷，心靈上清明了一些。很感謝。

在一般人印象裡，台灣風雨動盪的二十年中，台灣基督長老教會總是會適時隱約出現，而高俊明牧師也成了鮮明符號。勿論百姓同胞，就是「敵對陣營」，甚至「反台灣集團」中人，對於這位高高瘦瘦、細語寡言的牧師，也都持七分敬意。高俊明牧師的身家經歷、內在世界、特殊看法想法等等如何？想一探究竟的人必然眾多，在台灣更爲紛擾的今天出版《十字架之路》，正是時候。

實際上高牧師的家庭、親情、困頓求知生涯、義利中抉擇，面對時代苦難

的境況…等等，幾乎和當代有志台灣人的遭遇完全一樣；也可以說，高牧師的生命行程模式，就是台灣人的樣板。然而，高牧師的「姿態」、高牧師的「步伐」，卻是獨特的，很「原始」的；世俗看來是「陌生」的——所以感到「陌生」，不是高牧師的問題，是「今日台灣人」的問題。

由《十字架之路》可知，高牧師來自基督教家庭，但那是保有早期台人勤儉、樸素、正直、謙恭諸美德的「台灣家庭」。高牧師主要求學時代在日本。傳中雖然交代不夠詳盡，但在其言行中透露一種信息：日本古老傳統文化的簡素、正直、忠誠諸美德，已是其人格特質的一部份。

高牧師在就任長老教會總會總幹事之前，主要的佈道工作在原住民部落。與原住民弟兄姐妹手創的「玉山神學院」，不但落實本土神學，在共事相處的歲月中，很自然的原住民文化精髓也進入高牧師的心底。想來眞是上帝的巧妙安排：「超越性」（Transcendence）的基督教信仰基點是「謙卑與敬畏」，而原住民的文化特質正有豐滿的「敬畏與謙卑」心。高牧師身在其中，心入其內，其中造就與恩典應是奇妙十分。

讀了《十字架之路》，個人經常思索的議題又浮現出來：台灣人是怎麼樣的一種人？嚴肅地說：台灣人的生活方式、思考模式、行爲模式，以及隱藏

其中的「價值觀」如何？更重要的是「應該如何」？

在《十字架之路》裡，個人似乎找到「神秘答案」了。

一個族群的生活、思行與價值觀，跟其歷史累積、生態背景，以及對應的世潮大趨勢有關。台灣脫離草萊榛柸不遠，台灣是移民社會，而台灣是處於亞熱帶多民族多族群的海洋文化國家。這樣的「生活基地」，「應該」生活著一群熱情開放、簡樸正直的人民才對。回首以觀，高牧師的為人思行，不正是具備這些「質素」嗎？

在文學理論有「原型」（Archetypal pattern）的說法：意味著人類的行為或行程，猶如始祖亞當、夏娃因罪被斥出伊甸園，於是走上「流浪」「狩獵」「追尋」等等——這些文學的主要主題，正與人類基本行程隱隱呼應。個人以為「原型」的觀念，可用在文化思考，即如上述某族群的歷史生活條件之下，其生活思行價值觀「應該」如何？「事業」如何？兩相比正是可行的反省基礎。

個人的意思是：從《十字架之路》梳理出那種簡樸、純粹、正直、忠誠的文化特質是台灣人思行價值觀的「原型」，也就是「台灣文化的原型」。從這個角度讀《十字架之路》，然則《十字架之路》豈止是一個人的自傳而已？

再就宗教角度看：這個人如果減掉「信仰上帝——行上帝的路」這個「成

份」，這個人就「什麼都沒有了」。由高牧師身上可以體會到「信仰的力量」以及「人得救的可能」。高牧師的傳記幾乎無一字「說教」，但讀後一定會體悟到：他是怎麼樣的一個人？絕對的信仰是支持他唯一的力量，他憑這個力量，以行動愛這塊土地與人民。而吾人一定會感受到：苦難是希望的過程，最重要的是不能放棄希望。這是掩卷的感想。

——由絕對信仰、無邊的苦難，自然地會想到二七〇〇年前那位號稱「哀哭的先知」耶利米。這位先知生於政治腐敗、社會墮落、強敵在外、危在旦夕的時候。然而耶利米的號告哀求，當道與百姓卻是漠然不應，眼睜睜看著國破人亡。今日台灣內奸作亂媒體作怪、外敵嗜血冷笑，百姓隨股票而瘋狂。吾人擁有「台灣型的耶利米」、「台灣原型人物」在邇。二七〇〇年前後相對，無言無言；請細讀《十字架之路》，然後放聲一哭。

謹此寫就不成格局的序爲序，也是時代見証。

寫於二〇〇一年二月五日核四廢建不決的哀傷之日

永恆的眞理，無盡的喜悅

高俊明牧師自序

我是一個壞孩子。小時候，我不喜歡讀書，只喜歡釣魚，或與朋友去野外玩耍。

國小五年級時，父母親送我去日本讀書。我仍然不願意認眞讀書，所以學校的成績很差。國小畢業，我去考中學。表哥和表弟一考就考上第一志願。我考了三、四所，卻考不上。最後不得不去讀夜間學校，一年後才考上青山學院中學部。

如此，在人生中我有許多的失敗。到了中學二年級，第二次世界大戰進入最激烈的慘境，我發現了三件事：

一、我的生命很危險，什麼時候會死亡都不知道，我應認眞思考人生的意義。

二、我的智識很淺薄，我要認眞追求眞理，成爲有用的人。

三、我的心思意念很自私，我是重罪人，無法自救，必須依靠眞神。

發現這些事之後，我就開始認眞讀學校的課本，與各種宗教的書，又認眞思考人生的意義。最後，我在基督教的新約聖經與日本的信仰偉人內村鑑三先生所著的《求安錄》裡，找到了眞神，而接納耶穌基督作我的救主。

信耶穌之後，我逐漸明白：

一、上帝是創造宇宙萬物的眞神，是慈愛、公義、全能、神聖的上帝。他也是「眞、善、美」與一切生命的根源。上帝愛我們全人類。

二、耶穌是上帝的獨生子。他背負了我們的罪，死在十字架上；又從死裡復活，現在也經常與我們同在，並差遣眞理的靈，安慰、鼓勵我們。耶穌是全人類的救主，也是我們每一個人的、最誠摯的良友。

三、人生的目的是「要以全部的心志、情感、力量、和理智愛主上帝，也要愛鄰人，像愛自己一樣。」《新約聖經，路加福音十章二十七節》

我在七十多年的人生中，曾遭遇過戰爭、飢餓、海難、空難、重病、誤解、中傷、迫害、黑獄等許多苦難。但是感謝上帝，他幫助我勝過了這一切，而使我在七十二歲的現在，仍然能在國內外做傳道、教育、服務人群的

美善事工來造福眾人。我感覺非常幸福。

最後我要感謝胡慧玲小姐，將我與內人的人生經歷，整理成這麼美好的一本回憶錄。我也要感謝林衡哲醫師、望春風文化事業股份有限公司的諸位同工與其他的親友們，以愛心與鼓勵來促成這本書的出版。

我盼望這本書能幫助，在人生中遭遇到苦難與挫折的人，在眞理裡找到永恆的亮光。

二〇〇一年四月五日

十字架之路

高俊明牧師回憶錄

第1部 美好的種子

祖父高長一生貧苦，常對子孫說：

「我沒有金銀財寶給你們，我所留下的產業，

就是主耶穌，和一本聖經。」

他於一八六四年單身來台，至二十世紀末，

高家子孫興旺，至今已有千餘人。家族性的聚會，

每個人必須佩戴名牌，標識房別，

並借用學校場地來舉行。

祖父高長

後山傳教之行，高長已近六十歲，仍然徒步穿越中央山脈。有時遇到土匪，有時原住民出草，將屍體拋置路邊。同行的人氣餒回頭，高長不曾退縮，仍然獨自一人勇敢前行。他的一生言行，被形容為「火戰車」。

教會的第一個信徒

我的祖父高長，是台灣基督長老教會第一個信徒，第一個傳道者，第一個因傳道而下獄的神職人員。他是一粒小小的、美好的種子。

故事從清國時代講起。一八六五年五月二十七日，英國長老教會首任醫療宣教師馬雅各（Dr. James Laidlaw Maxwell）醫生，帶著「主的拯救」來到台灣。六月十六日，在府城西門外看西街，創設禮拜堂和醫館，正式在台灣宣教，傳播福音和醫療治病。一八六八年十二月在城內二老口典了一大厝（所謂舊樓），一八六九年七、八月開設亭仔腳禮拜堂，一九〇二年太平境禮拜

堂建竣。

當時民風保守，加上仇外心理，府城民眾對馬雅各醫師的醫術和傳播的洋教，非常排斥，散播種種謠言；六月底開始騷擾禮拜堂和醫館，馬醫師外出時，也遭投石攻擊。

七月九日主日禮拜，民眾衝進禮拜堂，咆哮辱罵，外面的暴民轟轟然，打算拆除禮拜堂。馬醫師立即派人進城，向官府稟報求援。但縣令並不給予安全保証，反而勸馬醫師離開。七月十三日，馬醫師關閉禮拜堂和醫館，在深深的失望中，搭船離開台南，前往高雄旗後。

看西街禮拜堂和醫館，六月十六日創設，到七月九日關閉。只短短二十四天，對高家而言，卻是一段不平凡境遇的開始。

因爲，祖父高長就是在看西街禮拜堂聽佈道而得到福音的。

從一個賭徒變成傳道者

高長生於一八三七年，原籍福建泉州府晉江縣永寧城。永寧是個濱海的漁鄉，居民多以討海爲生。高家原本富裕，擁有多艘船隻，出海貿易。傳至高

年輕時代的馬雅各醫師

長時，家境中落，祖產散佚殆盡。一八六四年，高長二十八歲時，在本鄉已活不下去了。聽說台灣錢淹腳目，決定東渡台灣，尋求新天地。他從廈門搭帆船渡海，抵達安平港，到台南府城尋訪大姐。

高長來台後，先是在大姐夫的雜貨舖當夥計。後自行創業未果，終日鬥雞走狗，無所事事。有一天，他東挪西湊，弄了一筆錢，買了紅蠟燭，要去廟裡燒香拜偶像，求神明保佑他晚上賭博贏錢。行經看西街，見有稀稀落落的人群，圍著路旁一名金髮藍眼的外國人。高長心想：「眞奇怪，這個外國人，怎麼會講我們的話？」於是揣著錢，停了腳，站在一旁聽洋教。一聽就感動，越聽越著迷，竟忘了要去廟裡求神贏錢之事。

此後，高長常去看西街禮拜堂聽道理，與馬醫師的助手吳文水認識，並介紹給馬醫師。久而久之，馬醫師見他認眞，就請他來幫忙，做些煮飯掃地跑腿的工作。閒時，馬醫師教他讀聖經、吟聖詩。高長決定領洗。

一八六六年八月十二日，禮拜天，在旗後新落成的禮拜堂，宣爲霖牧師(Rev. William Sutherland Swanson)自廈門受派來台灣，給高長、陳齊、陳清和、陳圍四人施洗，下午舉行聖餐。這四人就是長老教會在台灣最早結的果子。

高長領了洗，並向吳文水學習道理。漸漸的，他覺得只是讀聖經、吟聖

詩，是不夠的。他說：「我要去傳播道理。」

馬醫師先不贊成，好像是要試探高長的決心，告訴他種種初代傳道者現實上的危險和艱辛。他說：「你不要傳福音，在我這裡幫忙，所得的薪水，比傳道者的謝禮更多，經濟上比較寬裕。」

高長說：「不要緊，我不是爲了錢，也不是爲了生活。我是爲了使命，歡喜爲耶穌來吃苦。」

當時尚未有神學院、或聖經學院的專業訓練；他只從馬醫師和其他傳道師那裡，接受簡單的訓練，就到處去傳道理。當時也沒有教會，開拓時期的佈道，十字路口，人多聚集處，就是講壇，就是傳道所。多年後，大約四、五十年前，我在山地部落巡迴傳道，也是那種情形。只要有一、二十人，就可以打鼓、講道理。

馬醫師爲培育本地籍傳道者，成立「信徒造就班」，或稱「傳道者養成班」，即台南神學院的前身。高長在此接受講道、教唱聖詩，和研讀聖經等訓練課程。高長一生未受漢學教育，不熟悉漢字，只懂羅馬字拼音的台灣話，但讀寫甚佳。

高長與朱鶯夫婦，抱著長女高阿金。此幀攝於1876年的照片，是高家族最古老的影像記錄。

埤頭迫害事件

一八六七年七月，吳文水與高長擔任埤頭（鳳山）教會首任傳道師。次年四月十一日的「埤頭迫害事件」，是南部教會初期傳教的重大事件，與看西街禮拜堂的迫害事件相同。

當時台灣民眾因西方列強之武力干涉、簽訂不平等條約、傾銷鴉片等帝國主義行徑，和清國政府腐敗無能，隨之萌生民族屈辱感和怨恨心，轉而對洋人洋教報復。民眾紛紛謠傳，說馬醫師的西醫手術，「紅毛鬼與落教的，挖墓內死人的目睭，剖心肝取藥。」城內一片譁然，官役也前來禮拜堂捕人。四月十一日，高長遭暴徒毆打受傷，進入官府求助，反而被刑罰，押入虎頭監。所謂虎頭監，就是關土匪、強盜、殺人犯的重刑監牢。官民捉毆高長之後，就群集拆除禮拜堂。雜物、鋪蓋、衣箱、書本、藥料、醫病器具全都搬走，搗毀禮拜堂的屋頂和牆壁。四月十二日，又襲擊信徒陳齊住宅，將其妻子和媳婦剝去外衣，趕赴街道凌辱。此一劫難，是長老教會在台宣教史上的重大印記，也是初代宣教艱辛歲月的縮影。

高長在虎頭監坐牢五十天後，因馬醫師尋求英國駐香港領事的協助，才得以出獄。黑牢歲月的折磨和苦楚，不曾動搖他的信仰。出獄之後，他仍然到

處傳福音。據載，高長「學識有限，但講道甚爲熱切，語句淺白易懂；他勤於探訪，待人親切，盡忠事奉，頗受宣教師的器重。」

高長的傳道足跡

從一八七〇年年初，高長先後進駐木柵（高雄內門鄉）教會，培育柑仔林、內門、拔馬（左鎭）、崗仔林和頭社一帶的信徒；一八七一年六月，被派往竹仔腳（嘉義鹿草鄉）禮拜堂；一八七四年，三十八歲的高長，在此與白水溪岩前附近的洪雅平埔族姑娘，十八歲的朱鶯結婚。

一八七六年，高長被派往中部山地教會，是另一平埔族巴宰族人的領域，在此約十年。該處蠻荒偏遠，諸多不便，例如從埔里遷移時，信眾必須攜械送行，有人挑行李，小孩則置於籃內肩挑，傳道娘隨側徒步，只有不便行路時才坐轎，一連走了七天才到台南。那年我父親才四歲。

一八八六年五月，高長與甘爲霖（Rev. William Campbell）牧師同赴澎湖傳道，是澎湖設教傳道之始。

一八八九年，高長再駐木柵教會長達八年；一八九一年初至一八九二年底，則駐在東部的石牌禮拜堂，即今花蓮富里鄉富里教會。後山之行，高長

此照攝於1907年6月25日，高長長子高金聲牧師就任太平境教會首任專任牧師的封牧典禮。後排左起：高端莊、高篤行、高再祝、高金聲、高再得、高再福。中坐者左起：高秀圓、高潘筱玉、高長、高黃春玉、高侯青蓮、高秀理。前排左起：高五美、高天成、高端方、高錦花、高端文。

已近六十歲，穿越中央山脈的路途更是遙遠崎嶇，他不得不把眾多子女安置木柵，單身赴任；經畚箕湖、浸水關，自帶一斗米，爬過大武山，前行至石雨傘。在未知的天候裡，在陌生的山徑中，著草鞋徒步往返傳教。有時遇到土匪，有時原住民出草，將屍體拋置路邊，同行的人氣餒回頭，高長不曾退縮，仍然獨自一人勇敢前行。有時也在山巔水湄，遇到友善的人，親切供應膳宿，這就多了傳道理的新據點。

我的堂兄高端方，幼年時常與祖父同榻而眠。他說：「祖父通常半夜兩點就要出門，走遠路去傳道。出門前叫子孫一起祈禱唱詩，祈禱完畢，帶著一本聖經和聖詩，若干糕餅和治百病的奎寧，一個人在黑黝黝的夜色中，往深山林內出發。行走於連綿的山地部落，祖父沒刀沒槍，沒隨身部屬，只靠著聖經和祈禱，靠著信仰和詩歌，竟然全村莊的人

都信任他。」

高端方曾聽祖父形容那段後山之旅，他說：「一山接一山，好像永遠走不完。在未闢的山徑，倚樹休息祈禱；猛一張望，看見不遠處的樹枝上，懸著十幾個失去首級的屍體……」。

祖父並不怯步，他說：「我做上帝的工，上帝給我力量。」玉里以南的東部教會，處處有祖父的漫漫履痕。《太平境教會九十年史》作者黃茂卿長老，以「火戰車」形容高長一生的言行。

高家第二代　非牧即醫

高長有五男三女：長男高金聲是永寧同宗之子，幼年父母雙亡，無以爲生，八歲時隨親戚渡海來台，投靠高長夫婦，被收爲養子。他和高長的次男高篤行，都是牧師。三男高再得、四男高再祝、五男高再福都是醫師。

三名女兒都在長老教女學接受教育，後嫁爲人婦。長女高阿金嫁黃信期傳道師，次女高秀圓嫁吳秋微醫師，三女高秀理嫁李墨（李秉文）醫師。高家第二代，非牧即醫。

高長視養子如親生兒，高金聲就讀長老教中學（今長榮中學）時，高長曾

對他說：「鐵啊，」高金聲本名高鐵，高長都叫他鐵啊：「你若爲主做工，傳上帝的道理，我願意做你的奴僕，一輩子侍奉你。」

高金聲從長老教中學畢業後，十八歲入大學（今台南神學院），受巴克禮牧師（Rev. Thomas Barclay）夫婦之喜愛與栽培。畢業後，獲教士會的贊助，保送福州英華書院深造，是台灣第一位公費留學生。一九〇一年返台，任教台南神學院。

二男高篤行是牧師。三男高再得，就是我的父親，隨彰化基督教醫院蘭大衛醫師習醫，回台南開設再生堂醫院。四男高再祝畢業於台灣總督府醫學校（今台大醫學院），在高雄岡山鎮開設建安醫院，並創設岡山教會，任該教會長老二十幾年，曾遠至廈門佈道。五男高再福也畢業於台灣總督府醫學校，在高雄楠梓開設醫院，亦名建安。

祖母朱鶯逝世於一八九九年，享年四十三歲；此後高長打理內外，直到退休。因收入微薄，子女眾多，高家三名較長的兒子高金聲、高篤行、高再得，一就業，就分擔財務重擔。教師和傳道薪水有限，所需大都由高再得負擔；之後則是高再祝，高再福繼之。幫助弟妹姪輩完成學業和婚姻，遵循高長的教誨：「兄弟姐妹要相親相愛，相互幫助。」「做醫師的，應該幫助做牧

師的家庭。」

一生貧與苦　獻身榮耀主

基於這樣的庭訓，高家男大房和男二房的第三代，有四位是得到三位叔叔的贊助，得以赴日習醫。其中男大房長男高天成，由高再得贊助；次男高永寧，由高再祝贊助；三男高太平與男二房四男高端模，由高再福贊助；這也是第三代從事醫療濟世的開端。另外二房長女高錦花，由高再得贊助，赴日習音樂，日後成爲著名鋼琴家。

高長從二十八歲信主到受洗，視福音爲寶貝，盡心爲主獻身做工，視此爲最榮耀的事。高長逝世於一九一二年九月十六日，享年七十六歲。一九一二年《教會報》描寫：「不是子孫會給他光榮，他只是一直歡喜爲主的教會付出，來榮耀咱的主，反而咱從他得來光彩。」

高長一生貧苦，有人勸他：「你的孩子多，應該買些土地，留給子孫。」他說：「我無須留土地給子孫，高家的寶貝，就是耶穌基督。信耶穌的人，就是我的好子孫；如果不信耶穌，我就不認他是我的子孫。」

祖父常對子孫說：「我沒有留下金銀財寶給你們，我所留給你們的產業，就是主耶穌，和一本聖經。」

父親那一代

父親那一代基督徒的行誼，於信仰、教育、政治、社會、文化方面，都自有標竿，相互扶持，相互提攜，不愧為世上的鹽與光。

蘭大衛醫師的傳奇

我的父親高再得，是高長的三子，一八八三年一月一日出生於中部山區的烏牛欄教會，即今南投縣埔里鎮的愛蘭教會。父親成長於傳道者的家庭，親身經歷初代傳教的生活與傳統，深切感受傳道與行醫的相輔相成，於是立志要當一個幫助病人解決痛苦的基督徒。

當時台灣還沒有西式醫學教育學府，西醫仍採學徒制。父親從長老教中學畢業後，赴彰化醫館（今之彰化基督教醫院），在蘭大衛醫師（Dr. David Landsborough）門下習醫多年，並任其助手。

蘭大衛醫師（一八七〇－一九五七年）出生於蘇格蘭的牧師家庭，畢業於

彰化醫館的蘭大衛醫師（前排中）及其門徒。

格拉斯哥大學，又入愛丁堡大學習醫。他應允教會的殷切呼喚，一八九五年來台從事醫療傳道，一生奉獻給彰化醫館。蘭醫師在台灣，突破語言隔閡，身受瘧疾侵犯，行醫、教學，未曾間歇。單身十七年後，一九一二年，與傳道者連瑪玉姑娘（Miss Marjorie Learner）結婚。

曾有一次，有一幼童因腿部傷口化膿，醫治無效，病勢嚴重，送往彰化醫館。蘭醫師親割夫人連瑪玉姑娘股皮，幫病童施行植皮手術。這就是醫界著名的「切膚之愛」故事，傳爲中部地區的美談，彰化民間因此流傳「南門有媽祖，西門有蘭醫師」的諺語。兩人育有一子一女，兒子蘭大弼（Dr. David Landsborough Jr.），人稱「小蘭醫師」，日後也獻身台灣的醫療傳道。

父親在彰化醫館習醫多年後，回到台南，開設「再生堂醫院」，主治內科和小兒科。他是高家第一位習醫開業的醫師。

父親信仰虔誠，熱心教會事工，勤勉做主忠僕，平常忙碌看診，禮拜天一定上教堂做禮拜。有時病人急症，他趕赴醫診，來不及做禮拜；診療結束，他一定先趕到

1911年台灣宣教會議。前排左起：蘭大衛醫師、宋忠堅牧師娘、文安姑娘、甘為霖牧師娘、甘為霖牧師、朱約安牧師娘、滿雄才牧師娘、巴克禮牧師。後排左一即連瑪玉姑娘，此時兩人尚未結婚。

教堂，一個人靜默禱告、讀聖經，敬拜完畢，才安心回家。他連續擔任太平境教會執事和長老職務，達四十一年，至死方休。

一邊看患者 一邊講道理

父親看診認眞，善待貧者。俗話說：「貧病交加」，貧與病，如影隨形。對貧苦患者，父親常常不拿醫療費；營養欠佳者，就多開維他命丸，再偷塞些錢。我小時候常看醫院門前患者大排長龍，每天有一、兩百個來自台南縣市的患者，等待父親診治。上午父親在醫院看診，下午又騎腳踏車出診；印象中，半夜常有人來我家敲門，不論多疲憊，一叫出診，父親馬上起床，騎腳踏車出去。

多年後，我曾聽說父親的一段舊事。有一天，他出診一名婦人，返回醫院繼續看門診，突然有一個男子進

來，問我父親說：「剛才你去看婦人，她放在枕頭邊的五元日幣，你拿去了沒？」父親聽了，沈吟須臾，回答說：「有。」隨即召呼藥局王先生，交代將那婦人的藥和找的錢，一併交給那人拿去。

當晚，那人又來，對我父親說：「先生，你沒有拿那五塊錢，爲什麼說有呢？」父親說：「這無關緊要。我若說沒有，恐怕你不敢拿藥回去。」原來那婦人打針之後，高燒漸退，能夠起身洗臉梳頭、整理床鋪，才在蓆下發現那張五元鈔票。聽說當時有一句話，在社會底層的市民中流傳：「免煩惱，去找高再得。」

父親看錢財很輕，見有乞丐挨家挨戶乞討零錢和剩菜飯，都盡力幫忙。二哥常阻止父親，說：「爸，這些人還能夠做工，都是被你這樣寵壞了。不要給他們錢，叫他們去做工。」因此父親不敢當二哥的面這麼做，只等二哥入屋後，偷偷追趕，拿錢給乞丐。

再生堂醫院的財務和庶務，父親委託專業經理處理，收支買藥補貨，都是經理決策經手。父親熱心傳道理，很喜歡人家信主耶穌，所以他都是一邊看患者，一邊講道理。患者說：「先生，」以前人稱醫師爲先生，「我最近也常去教會聽道理……」父親很高興，說：「很好，很好，要敬拜上帝。」

看完病後，患者又說：「先生，我最近經濟很差，欠人家錢，請您幫我做保証人，好嗎？」幫人做保，解人危難，父親當然義不容辭，就說：「不要緊，我們是主內兄弟，要互相幫忙。」做保之後，對方倒帳，父親就賠，如是者多次。有一次，也是為病人擔保，對方倒了，跑路了，無處抓人，官府把父親抓去關。

父親被捕，母親只好湊錢把父親贖回來。受此驚嚇，母親下定決心，說：「不能再這樣下去了。」她要求親自管理醫院，並立下規矩：絕對禁止為人擔保；所有捐款，都要經過她核可；醫院的收入和支出，經理依程序向她報告；她每天晚上赴醫院仔細核算帳目。經此管理，醫院經濟漸漸好轉。

運動員的騎士精神

父親善馬術。禮拜六下午，或禮拜天下午，如果時間許可，他大都去騎馬。高家家族好像有音樂和體育的細胞，代代遺傳。四叔、五叔在跑步、跳高等田徑方面，成績優異。父親特別喜歡騎馬，他當醫生後，才有機會學馬術；他和日本軍官一同訓練，卻比年輕的軍官學得快又好。

曾經一次，父親參加越野賽馬競賽。鳴槍後，他一馬當先，沿著原野、林

間、山巔的比賽路徑，遙遙領先。就在山高谷深之處，他回頭一望，看見落後他的第二名騎士不小心翻落，於是立刻下馬，返身援救，無視後來者一一飛奔掠過，最終兩人當然是殿後。馬賽結束，主辦單位得知此事，頒給父親「精神賞」。

或許因爲父親喜歡運動，所以他最喜歡看的電影是「泰山」。泰山系列電影，男主角原本是奧林匹克運動會的十項運動冠軍，演起泰山，非常自然，糾結的肌肉，強健的體魄，看起來就像活生生的原始人。他腳一蹬，就跳得很高；雙手一拉，盪著樹藤往溪谷那邊飛去；雙腿敏捷，快速穿梭林間；又擅游泳潛水，與野獸搏鬥。泰山電影在台南放映，父親就帶全家老小去看。泰山是我們的英雄。

鐵路餐廳是台南第一家西洋料理餐廳，位於台南火車站二樓，是當時很出名、也很昂貴的餐廳。父親有時帶我們全家人，浩浩蕩蕩前往。小孩子根本不曾見識過西餐的場面，也沒見過一桌整整齊齊排好的刀叉湯匙。我們一個個端坐桌前，讓西裝畢挺的日本人，忙進忙出，端上一道道的菜。

父親的意思，不在排闊，崇尚奢華，而是對我們的一種教育：「雖然我們只是囝仔，被日本殖民統治的台灣人，也能享受這麼美好的料理，也能讓日

本人畢恭畢敬的侍候。」當時還不懂「尊嚴」這個詞的意義，卻已有「尊嚴」的感覺。

台灣民族運動之士

日治時代，父親參加台灣文化協會，曾被選爲理事，致力於台灣民族運動，爲此被日本憲兵拘捕，坐牢一個禮拜；也曾因反戰，成爲日本政府的黑名單人士。他長期贊助姨丈蔡培火先生的政治運動，也出資支持他在東京戶塚開設「味仙餐廳」，做爲旅日台灣人的落腳點之一。

根據賴永祥《教會史話》第五輯記載，當年台南神學院巴克禮牧師，發現教師林燕臣之子林茂生資質出眾，可以栽培，就找了富裕地主和醫生各二名，贊助林茂生赴日深造；日後林茂生繼續赴美進修，成爲台灣第一位哲學博士。那四名贊助人，就是李仲義、劉瑞山、顏振聲和高再得。

父親那一代基督徒的行誼，於信仰、教育、政治、社會，文化方面，都自有標竿，相互扶持，相互提攜，不愧爲世上的鹽與光。

座落於民生綠園附近的再生堂醫院，是當時很罕有的三層樓鋼筋水泥洋房。住家離醫院約五分鐘腳程，是兩層樓的洋房，前庭有水池，種植許多榕

一九二〇年一月十一日，在日本的台灣留學生組成新民會，推林獻堂為會長，開展抗日運動。圖為成立大會紀念，第二排左二起為林呈祿、黃呈聰、蔡惠如、林獻堂，右二為蔡式穀；最後一排右二為吳三連，右三蔡培火。

樹、盆栽和蘭花，那是父親的最愛。中午休息時間，父親就待在前庭，整理花草樹木；他常參加當時日本人舉辦的蘭花和盆栽比賽，也常常入選。

父親也喜歡果樹。他在台南後甲買了約二十甲的果園，滿植芒果和南洋水果，也在住家後院養火雞、鯽魚和蝸牛。蝸牛很珍貴，他專程託人從南洋進口蝸牛，裝在箱子裡繁殖。我還記得，蝸牛稍爲長大後，尋木箱縫隙，鑽出逃生；父親一發現蝸牛跑掉，就叫我們去找，一隻隻撿回來。

父親養了很久的火雞，肥肥大大的。戰爭期間，糧食缺乏，食物採配給制，大多數人長期處於半飢餓狀態，家人都等著火雞來打牙祭。有一天，一個年輕人從我家門前經過，見大門洞開，幾隻火雞在前庭踱步。那名年輕人立刻張開雙臂，一把抱起，就要走了。父親適巧看到，跑上前去阻止，急道：「你怎麼全都抱去？我辛辛苦苦養到這樣，拜託，拜託，留幾

上：高 再得（右立者）、高再祝（右坐者）與林茂生（左坐者）

下：1941年3月18日，高家族親人歡迎「高再得—高再福．吳秋微」旅日之餐會，攝於味仙餐廳。右上角圓框內的四個小男孩，左起：侯書文、蔡敬仁、侯書德和高俊明。

隻給我們吃吧。」戰時我在日本讀書，因戰火蔓延，音信中斷，對家裡情況毫無所悉。但是母親仍然把火雞肉製成罐頭，輾轉寄到東京，給我們補充營養。

歡迎會上蒙主寵召

戰爭末期，空襲頻頻，大家照規定疏開。沒多久，我們的住家和再生堂醫院，都被轟炸。鄰人設法通知已疏開至鄉間的父親，說：「高醫師，高醫師，你家被轟炸，趕快回來處理。」三舅侯全成醫師、二姑丈吳秋微醫師，眼見我家已成一片瓦礫，滿心難過，擔心我父親無法承受打擊。但是父親回來，看見焦黑的斷壁殘垣，竟然說：「咦，燒得這麼乾淨。」好像不太哀傷的樣子。

戰後我從日本回來，雖然世局滄桑，父親行醫之餘，仍然興趣廣泛；但因經濟大不如前，樣樣得自己來。哥哥們已成家立業，我是家裡唯一的男孩，於是自告奮勇幫忙：每天清早清掃庭院；放學回來，要幫前庭百餘盆的榕樹盆栽，和二樓陽台的眾多蘭花澆水。

父親說，火雞要運動才健康，不能整天束縛在固定的角落，要出來野放。

火雞從後院一放出來，就成群飛來飛去，到處拉屎；魚池、假山、盆栽、草坪，到處都是雞屎，一片混亂，清掃起來非常辛苦。家裡常有訪客，門庭必須保持整潔，我被迫掃個不停。我很生氣，告訴父親：「如果你要種榕樹養蘭花，就不要養火雞；如果你要養火雞，就不要種榕樹養蘭花。」這是我在青春時期，與父親少有的緊張關係。

一九三八年，蔡培火先生在東京因反日行動被捕，一九四三年遠赴中國。戰後，蔡培火先生自中國凱旋返鄉，一九四七年八月七日，台南的仕紳故舊在市議會舉辦歡迎會。父親受邀爲貴賓，當時他的身體已經不適，思及與蔡培火先生的舊情，和共同奮鬥的種種往事，仍然抱病前往。就在歡迎會上，父親腦溢血發作，當場不支昏迷。台南市所有名醫正聚集彼處，經一番急救，立即送往醫院治療。沒多久，父親蒙主寵召，享年六十五歲。

母親的志業

母親善於解決衝突和危機，
個性溫和，言語婉約，從來不曾大小聲壓制別人。
有爭端時，她靜靜聆聽，再輕聲細語說明。
她一生最重視的是：教育和社會服務。

高侯青蓮（右坐者）與女兒高碧華（中）、長媳高曾玉鶯。

侯皆得夫婦（中坐者）與長女侯青蓮（中排左二）、女婿高再得（中排右二）全家。

武術之家　漢醫之女

我的母親侯青蓮，生於一八九〇年，是漢醫侯皆得的長女。侯皆得出身清國武官，來台灣之後，經營茶行。小時候，侯家子孫，不分男女，都得練習打拳。家裡有一間倉庫，置放古董，不准小孩進入。有一次，舅舅的小孩，偷偷溜進倉庫，看見一支寶刀，很好奇，就伸手拔刀出鞘，沒拔好，刀鋒傷手，流血了。外公得知此事，非常震怒，把孫兒綁起來處罰，罵說：「這個孩子很不對！」

外公講的話，不是普通台語，屬於古言文那種，我們不太聽得懂，一半都是瞎猜的。

外公身體高大，與三舅一樣，頭頂禿了，但是鬍鬚長至胸前，聽說還曾長至腳底。他每天以茶洗髯，保養他美麗的銀色長鬚，並參加美髯鬚比賽。我曾在日本雜誌上讀過報導，被譽爲最漂亮的鬍鬚。

外婆吳氏圓，屬嬌小型，十分秀氣。飽讀詩書，

善漢文，連斥責孩子時，都以吟詩方式表達。她重視教育，這項傳統，也遺傳給我母親和三舅侯全成。日後，母親和三舅兩人，即長年擔任長榮女中和長榮中學董事長。

侯家並非基督教家庭，外公、外婆到七、八十歲時才信主。但他們非常開明，我母親得以解除纏足，就讀當時台灣第一所西式女子學校——台南長老教女學，今之長榮女中，因而得到道理，信仰虔誠。

吃到長女水　不肥也要美

女學開設於一八八七年二月十四日。當年的通告七項，細品之，很有時代趣味：

「一、凡要來就讀的女子，至少八歲。二、女學備有床鋪、蚊帳、被枕及各種設備，供學生住宿使用；學生只要帶來自己要用的衣服就好。三、每人每半年須繳付伙食費二圓。四、學科有白話字、寫字、算數、女紅；但最要緊的是讀聖經，盼望學生從小就得聖靈感化。五、校方會雇人來煮飯及做較粗重工作，但學生要樂意動手做其他較輕的工作。六、在校裡需用的書冊、簿紙、筆墨等，校方都有準備。七、要來就讀的女子就不得纏足，凡已纏足

者，必須先將它解開。」

母親就讀女學時，與高家女兒高秀圓，以及日後的李仲義夫人石舜英同學。石舜英的〈感恩回憶〉，追憶其女學生涯點滴，非常生動傳神：

「在女學，姑娘們每日上午輪流講授聖經，並要學生背誦聖經。例如聖經中最長的一章——詩篇第一一九篇，教我們逐節背誦；而保羅書信與『主日神糧』，能從頭至尾背得滾瓜爛熟，可任憑老師隨時抽考。除讀書之外，尚有勞動服務。例如當時我和侯青蓮負責學生庭之清潔，每到禮拜六則徹底洗刷一次。因此，學生庭環境可說窗明几淨，一塵不染。我與高秀圓輪流煮飯。記得有一次我們煮早飯，忽然出現了文姑娘，笑著說：『傻孩子呀，天還沒亮呢，那是月光呀，快去睡覺吧！』似在夢中的我們，始恍然大悟。

還有一次，盧姑娘帶領女學生到太平境教會禮拜，回來經新樓。時值蓮霧豐收，水果小販在樹上採蓮霧或在樹下收拾，而女學生要經過之，盧姑娘被同僚責備說：『你不知道台灣的規矩嗎？未出嫁的女人是不可在男人面前露臉的。』的確，當時封建保守社會中的女人，受到舊禮教的約束，其自由是不能與今日之女人相提並論的。」

母親曾於《長榮女中八十周年校慶紀念特刊》上追憶女學往事：

高俟青蓮（左二）熱心社會服務，活躍於教會和教育界。

「學生必須嚴守十條校規，輪流參與炊事，兩人一組整理內務；每年繳付四圓，包括每日三餐，每餐四菜一湯；學生自己做衣服、鞋子，清掃環境，而不得隨便買零食吃……」她又說，在這種環境訓練之下，學生個個健康可愛，怪不得有句俗話說：「吃到長女水，不肥也要美。」

初代教徒人數不多，彼此關係親近，和外國傳教士時有往來；我去你家吃飯，你來我家喝茶，甚至整個家族變成共同的朋友，相互幫忙，相互砥礪。所以小蘭醫師告訴我：「我和你父親是同學。」老蘭醫師的婚事，也是我母親「牽成」的。當時連瑪玉姑娘任教女學，盡心推動婦女工作和兒童教育，我母親認為兩人很適配，居中做媒。一九一二年十一月二十二日，兩人於淡水英國領事館結婚，場面溫馨感人，被譽爲是女學「嫁女兒」。

1936年高再得全家族攝於再生堂醫院三樓，左一即日後早逝的高俊耀，前排中立者是高俊明。滿滿的盆栽，是高再得的精心手植。

教育與社會　一生的志業

我的父親不擅日語。他隨蘭醫師習醫，語文方面，是以羅馬字寫台語，以德語和英語學醫藥。日本統治台灣之後，他自修學基礎日語，因爲行醫對象以台灣人爲主，生活上和職業上都無須講日語，也就僅止於此。

母親則不然。日治時代，女學校長是著名的女牧師植村環，母親與她友好，彼此密切往來。又擔任台南市婦女會會長，長期推動社會服務，有時必須代表婦女會，以日語演講。爲了加強日語，母親聘請家庭教師來教導。演講前，她一字一句寫講稿，再請植村環校長指導校正。

母親個性一絲不苟，仔仔細細，無論是白話字、漢字、日文，都寫得整齊漂亮。她很重視教育。當時大環境使然，台灣子弟受教育有諸多限制，高家子弟大都送往日本，就讀醫學、音樂或家政。我家亦然。

母親在一九○七年，十八歲時嫁給父親。育有十三個小孩，我排行十二，出生於一九二九年六月六日，底下還有一個妹妹。大姐長我二十幾歲，今年九十歲，她的女兒還年長我一歲；其餘哥哥姐姐也比我年紀大許多。哥哥姐姐早年赴日讀書，印象中，家裡常常只有我和妹妹兩個小孩，過著很清寂的童年。

我讀小學一年級時，第一次放暑假。我記得天氣好熱，從學校回來，看見一屋子的陌生人，嚇了一跳，拉著大人問：「他們是誰啊？」家人說：「這是你哥哥啦，二哥啦，三哥啦，這是你姐姐啦……」

因爲年紀小，又缺乏與兄姐長期相處的機會，我完全不知道父母親相識結婚的經過。但後來兄弟姐妹有共同的看法：我們不曾看過父母親口角、爭執或吵架。

母親善烹飪，擅理家。家中子女多，訪客也多，她管理兩三個佣人，分配工作，烹調料理，整理家務。母親很注重教會事工。太平境教會離我家只有七、八分鐘的路程，每個禮拜天，她一大清早就去教會教小朋友，當了幾十年的主日學老師。簡而言之，她一生最重視的是：教育和社會服務。

母親雖然重視教育，但她不曾陪我們讀書做功課。印象中，父母親一直很忙碌。父親大部份時間都在醫院看診，回家就是埋首整理盆栽和蘭花；要不

然就是大清早時分，坐在前庭讀聖經、吟聖詩。母親則忙著教會、學校和婦女會的工作。

反對娼妓　化解衝突

我小時候很懶惰，不喜歡讀書，整天只想玩。有一陣子迷畫圖，拿到紙筆，就畫個不停，特別喜歡畫桃太郎，偏偏又畫不好，很生氣。母親於是買了一幅黑板，掛在餐廳，讓我隨意畫圖寫字。有一天，放學回家，看到黑板上畫了一幀很漂亮的桃太郎，我很高興。後來才知道是母親幫我畫的。

夜裡十一點，父母親從醫院歸來，全家一起做家庭禮拜。當時的家庭禮拜，不像現在的人做十五分鐘、二十分鐘；而是四十分鐘、五十分鐘，甚或一個鐘頭。我家人多，父母親叫我們輪流讀聖經，即使不識其字、不解其意，也得大聲朗讀。讀完之後，再吟聖詩；有時先吟聖詩再讀聖經，再由父母親講解聖經的故事；繼而是祈禱，冗長的祈禱。幾乎天天夜裡都要做這種家庭禮拜。

禮拜天早上當然要去教會做禮拜。我不喜歡去教會，想盡辦法溜去釣魚啦、玩耍啦。如今回想，我是一個令父母親煩惱擔憂的小孩。

老年以後的高侯青蓮。

母親脾氣很溫和。我不曾看見她生氣，或與別人家大小聲；有爭端時，她靜靜聆聽，之後再輕聲細語說明。戰後社會風氣大變，台南婦女會發起反對娼妓運動。母親時任婦女會會長，成了箭靶。妓女代表成群來我家門前抗議，大聲喧譁，氣勢淩人。佣人和司機沒見過這陣仗，很緊張，直說：「老闆娘不在家。」妓女作勢打人，並衝進門內，嚷嚷叫我母親出來說話。佣人說：「老闆娘還沒回來。」她們不相信，入屋到處走動探查，東張西望。

我剛好在樓上讀書，沒作聲。她們上來，看見我一人靜靜坐著，沒說話，她們反倒嚇著了，互相低語：「好像是一個中學生，坐在那裡瞪我們。」覺得沒意思，就下樓了。

就在鬧哄哄的時刻，我母親歸來，面對意外場面，依然不慌不忙，很禮貌的招呼大家，說：「來，來，進來客廳坐，坐著說。」奉茶之後，母親靜靜聽大家說話，聽完後，再一一說明；說這運動不是針對她們而來的，而是爲了整個社會的風氣，和各個家庭的幸福，才反對嫖妓的行爲云云。

母親說明之後，她們大部份了解意思，後來也就很有禮貌的成列離去。

母親善於解決衝突和危機，個性溫和，言語婉約，尊重對方，從來不曾大嗓門壓制別人。我想正是這個優點，使她能長期擔任婦女會會長、及長榮女

1959年2月21日，高家親戚敦睦會，在台南高外科後花園舉行感恩禮拜和園遊會，此時高家已四代同堂，出席人數多達兩百多人。

中董事長。

高家興旺　子孫千餘

父母親生育五男八女。我的大哥俊雄、二哥俊傑業醫，三哥俊耀在學中別世，四哥俊賢幼逝。大姐瓊華嫁給蔡愛義醫師，二姐翠華十二歲時因病去世；二姐去世後，父母親認養一個少女，取名仁華，我們也稱她二姐。

三姐秋華嫁邱鴻恩，任職法界；四姐碧華嫁給郭春峰醫師，五姐平華是女醫，嫁給李增禮，任職於企業界；六姐肅華嫁給鄧水造醫師，七姐滿華嫁給嚴坤厚傳道師；小妹興華嫁給蔡培火先生的兒子蔡敬仁，算是親上加親。

父親早逝，母親一人繼續操持內外事務，有條不紊。她長年擔內主日學老師、長老、婦女會會長，也曾任中會婦女部部長、長榮女中校友會會長、董

事長等職，於教會和社會，都非常活躍和盡心。多年後，她遷到台北與我們同住。一九七五年去世，享年八十六歲。

我的祖父高長，於一八六四年單身來台，至二十世紀末，高家子孫興旺，至今已有千餘人。百餘年間，曾於一九一三、一九二六、一九五九和一九六九年，舉行四次全家族性的聚會。因人數眾多，各人胸前必須佩戴名牌，以辨識房別和關係；也必須借用學校場地，順便舉行家族運動會、園遊會和感恩禮拜。

至於高家的家族禮拜，則始於父親這房。父親猶健在時，每年農曆正月初二，俗稱的「查某囝日」，出嫁的女兒回娘家省親時，全家親人團聚舉行禮拜，這是家族禮拜的由來。父親去世後，母親訂農曆初三爲「省墓禮拜」，全家親人聚集台南，舉行追思禮拜和祭掃墓園，持續多年，未曾間斷。

一九八五年農曆年，也就是我出獄後的第一個家族禮拜，各房親族紛紛表示希望能加入我們的家族禮拜，共聚一堂，彼此請安，感謝主恩。爲了時空安排方便，於是改爲每年新曆一月一日，商借教會禮拜堂，舉行高家家族的年度聚會，名稱就定爲「高家家族禮拜」。每年一月一日，浩浩蕩蕩、笑語晏晏的家族禮拜，正是對祖父高長的一生，做了美好的紀念。

三哥的見證

從那時起，三哥臉上時時浮出笑容，好似病情逐漸好轉。性情也為之大變。有一天，三哥對父母親說：

「幾月幾日，主耶穌會來接我回去，回去上帝的故鄉。」

到了那個時辰，三哥說，他離開的時刻已經來臨，請我們到他的床邊吟詩……

拳擊選手　暗淡人生路

我的三哥俊耀，在高家這個以牧師和醫生爲傳統的家族裡，是個異數。三哥是拳擊選手，起先是壞囝仔，直到生病、吐血……

我童年殘存的印象，和後來年長得知的，所拼湊出來的圖形是這樣的：三哥就讀日本東京青山學院。該校是一所著名的教會學校，從幼稚園、中學到專門學校，有其一貫的學制和學風。三哥在青山學院時，不喜讀書，只愛練拳擊，並常常打架滋事。

高再得全家福。左起：高碧華、高侯青蓮抱高滿華、高俊耀、高平華、高俊傑、高再得、高俊雄、高肅華、高瓊華、蔡愛義、高秋華。

三哥參加校際盃拳擊比賽，勇奪冠軍，引起前任冠軍怨恨，找了好幾個流氓來揍三哥。他一人對抗六、七個流氓，把對方打得東倒西歪，自己也受傷了。那些流氓奉命來打架，揍一揍，人就跑了。但三哥知道流氓是某黑社會集團的人。

流氓逃跑之後，三哥找醫生敷藥，頭臉和身體四肢，處處傷痕，這裡也綁繃帶，那裡也綁繃帶。隔天，他隻身一人，去找黑社會老大，說：「如果要打，一個對一個，一個一個來，不要那麼多人一起打。」

黑社會老大看到我三哥全身綁著繃帶，滲著血水，竟然尋上門來，先是震驚，繼而尊敬，當場鞠躬道歉，說：「你這種氣魄，我很感動，我們做好朋友，不要再這樣，讓我好好拜託一下！」雙方握手言和，說好以後不再打架。

諺語說，嫉妒使人瘋狂。後來，他忍不住嫉妒三哥

矯捷的身手，又另外請一個打手。有一天，那人見到三哥，說：「俊耀，來一下，我跟你說幾句話。」三哥不疑有他，隨即靠過去。一近身，對方馬上往他胸腹狠狠揍下去，三哥不防有他，受傷嚴重，當場吐血。

三哥傷重之事傳開，親友打電話回台南，說三哥吐血，已經倒下去了，叫我母親趕快去處理。當時沒有飛機，我母親立即坐火車到基隆，再搭輪船去東京，帶三哥回台南。三哥回家後，住在父親的醫院三樓病房，父母親和好幾個藥局生和護士輪流照顧他。

三哥沒有信仰，脾氣暴躁易怒。護士上樓餵藥或打針，他一不高興，就開口罵人，甚至動手打人，以致後來沒有任何藥局生或護士敢接近，只有父母親自照顧他。

阿爹阿娘　我要信耶穌

有一天，二伯高篤行牧師聽到三哥病重，前來醫院探訪。二伯是當時著名的佈道家，口才很好，聲音宏亮，愛好吟詩，許多教會喜歡邀請他佈道。父母親看見二伯來，心下高興，拜託二伯說：「拜託您，進去爲我這個孩子祈禱。他的身體很差，活不了多久了。我們做父母的，最掛慮的，就是他沒有

信仰。盼望您爲他祈禱，讓他成爲有信仰的人。」
二伯答應，說：「好。」就進病房去。三哥躺在病床上，根本動也沒動，當然也沒有行禮請安。二伯說：「俊耀，你躺著沒關係，閉上眼睛，二伯爲你祈禱。」
二伯閉眼虔誠祈禱之後，眼睛睜開，看到我三哥不但沒有一同祈禱，反而雙手攤開，自顧自大剌剌的看報紙，完全不理會剛才的祈禱。二伯非常生氣，他從病房衝出來，告訴我父母親：「這是地獄的火柴，沒有救了！」
我父母親一聽，非常傷心，母親更是哀戚。她說：「我的兒子即將下地獄，我實在很對不起上帝！」從那天起，母親對我父親說：「我暫時不要來這裡照顧俊耀，我要禁食爲他祈禱，希望他能夠悔改，成爲有信仰的人。」
過了幾天，三哥突然對父親說：「很久沒看到阿娘來，我很喜歡跟她說話，請您叫阿娘來。」
母親聽其言趕來，父親心想：「大概私底下要交代什麼。」所以母親進來時，父親就想出去，好讓母子倆獨處。三哥卻不讓他離開，他握著父母親的手，放在自己胸前，說：「阿爹、阿娘，我要信耶穌！過去我很不孝，沒有信仰，讓你們煩惱。今天，我想自己安靜反省，不必再拿藥、拿飯或什麼

來，請讓我安靜。」父母親於是出來，那一天，就沒有再去打擾他。

新的生命　進入他體內

隔天早上，母親端稀飯讓他吃，又讓他服藥。當天開始，三哥臉上綻開了笑容，很不一樣的笑容，好像有一個新的生命進入他體內。他對父母親說：「拜託阿爹請藥局生和護士，一個個進來。以前我罵他們、打他們，如今覺得很不對，我要向他們道歉。」

藥局生和護士果眞一個個排隊魚貫而入，三哥逐個道歉。我當時才七歲，事事都不知。三哥很疼我，也要和我講話。我聽見母親叫我，隨即上樓，在樓梯遇見護士，她剛和三哥見過面，邊下樓邊擦眼淚。看到我，向我說：「你三哥實在是好人，心地非常好。」

我進房見三哥，當時還傻呼呼的，不知道三哥病情非常嚴重，只記得三哥低聲問我說：「俊明，你想要什麼，三哥買給你……」我不了解這是生死訣別、生命交關的時刻，猶原低頭認眞思索，然後告訴他：「我想要一輛腳踏車……」

父母親在旁聽到，趕緊說：「好啊，會設法買腳踏車給俊明。」

從那時起，三哥臉上時時浮出笑容，好似病情逐漸好轉，性情也爲之大變。朋友來探訪，他說：「請讀你最喜愛的聖經章節，或是吟聖詩給我聽，或是替我祈禱。」有一天，三哥對父母親說：「幾月幾日，主耶穌會來接我回去，回去天上的故鄉。大家都不要哭，父母親或是誰哭，就是沒有信仰。」父母親想說：「可能那麼快嗎？大概是他自己的幻想。」依然照顧不歇。直到預言來臨的那一天，三哥的身體精神也好端端的。到了那個時辰，三哥說，他離開世間的時刻已經到了，請父母親叫我們兄弟姊妹來，在他的床邊吟詩。

我們隨即趕到病床，圍著三哥開始吟詩。吟唱聖詩時，三哥揮手招母親過去，附耳低聲說話。然後母親轉身，輕聲告訴我們：「慢著，不用再吟詩了，現在主耶穌和天使已經來了，大家安靜。」我們靜肅安靜，看見三哥神情愉悅，高高興興凝視天花板，沒多久，就去了。

此事對年紀小小的我，震撼很大。兄弟姊妹之中，三哥是我無法忘懷的哥哥，相處的時間很短，印象很深。

第2部 黑暗之光

直到清晨，轟炸才結束。
我們從躲避空襲之處走出來，
看到四周都是或猛或弱的焰火在燒，遍地屍首。
死的人面目全非，沒死的人也低低哀嚎。
我們聽到母親呼喚孩子的聲音，孩子哭喊母親的聲音，
雖是人間，實在與地獄一般。
而我們還要趕去工廠製造武器。

小留學生

小學五年級，我當起小小留學生，住在東京蔡培火家。他是著名的社會運動家，也是一個很嚴格的教育者。受到他的影響，自幼我就覺得，疼惜自己的同胞、疼惜台灣，是一種本分。

爲了愛玩　留學日本

我的兄姐眾多，年齡差距很大，他們長期赴日讀書，幾乎只有寒暑假返家，相處時間很少，感情難免生疏。我與六姊、七姊和妹妹比較親近，因爲只相差兩、三歲，有共同的成長經驗。

大姐嫁給台南市蔡愛義醫生，生了九個孩子。因爲同住台南，大姐常回娘家探望阿爹、阿娘，看看我們這些弟弟、妹妹。小時候，我也常去她家玩，讓她幫我剃頭，剃光頭。我小學讀公學校；日治時代學制：日本小孩讀小學校，台灣小孩讀公學校，後者規定學生必須理光頭。理髮費，一次兩毛錢。

我請大姐幫我剃光頭，可省兩毛錢；省的兩毛錢，我就拿去買糖果吃。

我小學還沒畢業，就赴日讀書；之所以離家出國，不是因爲好學，而是因爲愛玩。

三舅侯全成醫生向來注重子女的教育，長年聘請家庭教師教導子女學業，聘請音樂老師教導鋼琴和小提琴。侯家小孩，也就是我的表哥和表弟：侯書宗、侯書德和侯書文，學藝兼修，樣樣出色。書宗早已赴日習醫，後來三舅又拜託當時長住日本的蔡培火先生，帶書德、書文去東京就讀。我們稱呼蔡培火先生爲姨丈，他的太太，是我母親的表姐妹。

小學時期的我，不喜讀書，只愛玩耍；一年級學業全甲，二年級落到乙，每況愈下；直到五年級，只有音樂是甲，數學好像是丙，其他都是乙，很見不得人的成績。

我與書文同年紀，同樣就讀公學校，常常一起讀書、玩耍，感情很好。聽說他要轉學去日本，這下不妙，少了個重要玩伴，日子怎麼過？我向父母吵鬧不休，說：「我也要跟他們去啦⋯⋯」其實我根本不知道日本是什麼地方，異地生活是什麼情況。父母親原本無此計劃，因爲哥哥姐姐都去日本讀書，家裡只留我和妹妹，年紀又小，希望留在身邊作伴。但是我一直吵、一

直吵……

蔡培火先生詢問：「俊明到底是什麼樣的孩子？」母親告訴他說：「成績越來越差，一天到晚在外面玩，整個人曬得黑漆漆的。」而先前剛好發生一件事情，使我父母親印象很深。

味仙餐廳　高朋滿座

聽說我出娘胎時，靜靜的不吭一聲。小小的身軀，一會兒轉紅，一會兒轉黑，大家嚇得要死，心想這個孩子不曉得能活多久。後來活下來，卻虛弱多病。每隔幾個月，父親就帶我從台南到台北北投泡溫泉，鬆弛身心，盼望溫泉療法能使我強壯起來。也因我從小體弱，常常發燒肚子痛，父親並不強制我認眞讀書，縱容我自由自在的活著。

父親知道羊奶營養豐富，有益健康。爲此，買了一隻母羊，派人每天擠羊奶給我吃。母羊剛產小羊，奶水很多，爲了讓我多喝些羊奶，佣人把小羊帶去鄉間，養在後甲的水果園，以免和我分奶喝。母羊突然見不到小羊，悲傷極了，每天咩咩哭。我聽了很難過，就告訴父母親說：「我不要吃羊奶了，把小羊帶回來吧，讓牠吃。」

小留學生高俊明於東京蔡家。左起侯書宗、蔡敬仁、蔡培火、侯書文、高俊明、侯書德。

父母親把這件事情說給蔡培火先生聽。蔡先生聽了，說：「這個小孩腦筋不好，成績也差，但還滿有趣的。」因爲小羊事件，蔡先生決定攜我同行，他說：「不要緊，我可以順便帶他去。」

於是，一九三九年，小學五年級的我，離開父母，離開台南，遠赴日本，當起小小留學生。我和侯書德、侯書文，以及蔡先生的獨子蔡敬仁，一起住在東京蔡家，就讀淀橋第四國民學校。

日治時代，蔡培火先生是著名的社會運動家，和林獻堂等人一同推動「台灣文化協會」，從事反抗日本殖民統治的運動，深受知識階級的支持。蔡先生是日本政府的眼中釘，常常被日本警察跟監。他在日本雖然遭受種種政治迫害，仍比在台灣安全，乃於一九三七年舉家赴日。

一九三八年，蔡培火先生在東京開了一家「味仙」台灣料理。我父親、二姑丈吳秋微醫師、三舅

侯全成醫師和黃煥宗先生、李金生先生等五人共同投資，蔡培火負責經營。味仙餐廳以台灣口味爲主，其他料理爲輔，生意興隆。許多留學生的訂婚宴、結婚宴、生日宴或畢業宴，以及台灣人回台、返日的迎別宴，常在此舉行。

味仙餐廳營業期間，正是高家家族的興盛期，旅居日本的親人眾多，有求學讀書的、行醫就職的、旅遊探親的，大家相聚在味仙，那是高家第二代和第三代在日本的共同記憶。味仙餐廳經營至一九四四年，太平洋戰爭最慘烈時，因物資極度缺乏，食材取得困難，而結束營業。

疼惜台灣　是一種本分

蔡培火先生有很深厚的祖國情懷，即使在殖民統治底下，仍然認眞學習華語，也教日本的台灣留學生華語。他擅長油畫，喜作曲、作詞，曾作了好幾首台灣歌謠，像是〈咱台灣〉，如今我還能朗朗上口：

台灣台灣咱台灣
海真闊　山真昂

大船小船的路關
遠來人客講妳粹
日月潭　阿里山
草木不時青跳跳
白鴒鷥　過水田
水牛背脊烏秋叫
太平洋上和平村
海真闊　山真昂

美麗島　是寶庫
金銀大樹滿山湖
挽茶囝仔唱山歌
雙冬稻　割未了
果子魚生較多土
當時明朝鄭國姓
愛救國　建帝都
開墾經營大計謀

上天特別相看顧
美麗島　是寶庫

蓬萊島　天真清
西近福建省
九州東北旁
山內兄弟尚細漢
燭仔火　換電燈
大家心肝著和平
石頭拾倚來相共
東洋瑞士穩當成
雲極白　山極明
蓬萊島　天真青

還有一首〈台灣自治歌〉，也是傳誦一時：

蓬萊美島真可愛

祖先基業在
田佃阮開樹阮種
勞苦代過代
著理解　著理解
阮是開拓者
不是戇奴才
台灣全島快自治
公事阮掌是應該
玉山崇高蓋扶桑
我們意氣揚
通身熱烈愛鄉土
豈怕強權旺
誰阻擋　誰阻擋
齊起倡自治
同聲直標榜
百般義務都自盡
自治權利應當享

1941年春，高再得（右四）、吳秋微（左二）訪日時，與親人合影。右二高俊明，左一高俊雄，左三郭春峰、左四大嫂高曾玉鶯，右三高平華，右一乃吳秋微長女吳英姿，日後嫁給彭明敏之大哥彭明哲。

他教我們背誦種種曲子，他唱一句，我們跟一句；到現在，我仍熟記兩、三首曲子。受到他的影響，自幼我就覺得，疼惜自己的同胞，疼惜台灣，是一種本分。

他是一個高度民族主義的政治人物，也是一個很嚴格的教育者。他重視禮貌，要求小孩應對進退要有規矩；放學後，一定要按時回家；玩時玩，讀書時讀書，起居定時。

當時我很挑食，喜歡吃的就多吃，不喜歡吃的就不吃；偏食，以致身體乾巴巴的。蔡培火先生對此毫不留情，兇狠狠的說：「我給你挾這些菜，你每樣都要吃。沒有吃完，不准離桌！」我很不甘願，心想：「怎麼可以強制人家？」因爲他很兇，愛罵人，我很害怕，不得不從。強迫訓練之下，乖乖的吃，營養均衡，身體就一直胖起來、壯起來。

赴日本一年多，一九四一年三月，父親、五叔高

再福和吳秋微醫生來東京看我們。看到我跟以前長得很不一樣，顯得很壯碩。父親很高興，問蔡培火先生說：「你讓他吃了什麼好東西？」蔡先生說：「都是你們，把他寵壞了，寵瘦了。」

雖然管教嚴格，但他有一個優點。學校放假，他也就放輕鬆，嚴格的規矩隨之放假，溫柔的時刻來臨。他常會問：「你喜歡吃什麼？要去哪裡？」一切隨我們決定，然後叫日本女傭準備很豐盛的便當，帶我們去郊外玩耍。那時候，我就不覺得他嚴格，只覺得他是很好的玩伴姨丈。

讀書不用功　考試皆落第

我赴日讀書時，大哥大嫂也住東京。禮拜六、禮拜天去他家住，享受大嫂的豐盛料理和美好款待，是最快樂的日子。二哥、四姊、五姊、六姊、七姊先後在東京，我跟他們也漸漸親密。當時四姊已經結婚；五姊習醫，當女醫生，戰爭中結婚，遠赴中國。二哥也是醫生，偶而才在一起。

從台南到東京讀書，我依然很懶惰，成績仍然很差。奇怪的是，班級老師很疼愛我，毫不掩飾對我的疼惜。教室的桌椅排成三排：第一排是成績最好的，一排是比較普通的，另一排是比較差的；大家依成績，排三排坐。書文

高俊明（左二）留學東京時期，與大哥高俊雄（中坐者）大嫂（右一）全家，及四姐碧華（左一）、五姐平華（右三）。

都是坐最好的那一排，我則是中間的普通排。我並不覺得自卑，或對不起父母親，而是根本不認爲讀書很重要；考試及格，不落第就好了。我差不多都是過著那種隨隨便便的生活。

國小畢業，參加中學入學考試。侯書文和蔡敬仁，一考就中；我考第一所中學，落第；考第二所中學，落第；再考第三所中學，落第；考的學校越來越差，依然落第。後來每所中學都招生完畢，有的學校因爲財務問題或其他因素，要招比較多的學生，得去拜託人家，就又去考。

我沒有考取任何一所學校。

蔡培火先生氣得說不出話來，教訓我說：「你父母親省吃儉用，送你來到日本，別人的孩子沒有那麼好命。你在這裡不用功，讀成這樣，每所學校都考不中……」

到後來，不得不去考夜間學校。

大嫂聽到這件事情，很難過。爲此寫好幾封信給我，說：「父親聽到你讀夜間學校，每天都流眼淚，你怎麼不拚命一點？」她很疼我，日文很好，字也漂亮，我讀她的信，自己也感動流淚。不知爲什麼，感動歸感動，仍然繼續懶惰過日子，不愛讀書；有時想想，也深覺無奈。

努力讀夜校　成績漸好轉

當時東亞戰爭如火如荼。三舅侯全成醫生預見戰事一時不會結束，三個兒子又都在東京讀書，乃決定舉家赴日，專心照料小孩；自己也趁便在日本進修，進一步研究醫學。看我終日懶散，都不讀書，他很關心，也很憂慮。他告訴我說，他要帶書德、書文兄弟另外租房子住，問我想繼續留在蔡家，或是要跟書德、書文一起住他家。

蔡培火先生在旁睜著眼睛瞪我，意思是暗示我不要離開。但是我想和書文在一起，再者三舅、舅媽比較了解年輕人的心理，於是我就選擇和三舅住。三舅家，讀書氣氛濃厚。三舅也很嚴格，小孩讀書時間，他自己坐鎮書房，督促我們。

我讀夜間學校，放學時，街道已一片漆黑。下電車之後，還要走二、三十分鐘夜路才到家。夜裡的小巷，幾乎沒有行人。我很膽小，害怕一個人走夜路。三舅知道我害怕，如果時間允許，他都會來車站等我，陪我走回家。

戰爭轉劇，三舅、舅媽又帶著小表弟書武和書正回台灣，我繼續和書宗、書德、書文三兄弟住一起。大哥書宗就讀大學醫科，充當家長，照顧我們三個小孩。附近也有親戚，大家幫忙照料。

夜間學校的同學，大部份都半工半讀，白天做苦工，流汗賺學費和生活費；晚上拖著疲憊的身體來讀書，上課竟非常認眞。我身處苦讀向上的氣氛裡，領悟讀書是很要緊的事。別人辛辛苦苦都要讀書；我自己輕輕鬆鬆，還能夠讀書，當然得打拚。我告訴自己說：「要努力！」發奮圖強之後，成績漸漸好轉。隔年，一九四一年，考進青山學院的中學部。

悲情的戰爭

每天目睹戰爭和死亡的恐怖，目睹工廠的工人，過著醉生夢死、沒有明天的生活。

我終於領悟，不只生命有限、道德有限、知識有限，人的心靈也是很有限。每一個人都有罪，這個罪要怎麼解決？在思想和信仰的道路上，《新約聖經》和內村鑑三的《求安錄》，特別打動我的心。閱讀這兩本書以後，我深刻決定：「我仍然要做基督徒。」

戰火燒東京　學生投入軍備生產

三舅回台灣之後，我們遷居仙足池附近。仙足池是一個美麗的池塘，位於東京都著名的小公園內，周圍別墅環繞，住著富裕人家。我們租一間房子，表兄弟四個人住，還有一個台南家裡的養女，來東京幫忙煮飯和料理家務。

日本學制，一學年有三個學期，每學期選一個班長和兩個副班長。考入青山學院日間部後，第一學期，我的成績很好，全班第一名。老師和同學認爲

我成績不錯，選日本同學當班長，選我當第一副班長。

青山學院三年之中，每學期選舉，我都被選爲第一副班長。副班長得照顧同學，協助大家合作，完成老師交代的事；對學生而言，是非常要緊的工作。從那時起，我漸漸學習如何擔任指導者。

太平洋戰爭爆發，時勢日益危急，美國飛機幾乎每晚來轟炸。東京地區，放眼望去，這裡也火燒一整片，那裡也火燒一整片，傷亡慘重。面對死亡的威脅，人人苟延殘喘，日常作息被迫中止。二年級以後，學校宣布停課，分派學生去工廠，製造軍用品。我被分派至日本特殊鋼株式會社，製造戰鬥機的機關砲零件。

以前出門有電車坐，現在沒電車了。赴工廠上工，清早四、五點就得起床，五、六點出門，走路到工廠。一路上，看到這裡也躺著屍體，那裡也躺著屍體。那種慘狀，令我開始深思生命、道德和愛心的有限性，體悟到人生各種的苦、各種的罪。文明國度如美國、英國、日本，戰爭不斷，舉國上下把大部分的智慧和時間，投入人殺人的競賽。

軍用品工廠，有幾千個工人，因爲生活中沒有盼望，集體渾渾噩噩過日子。盟軍夜夜轟炸，以軍用品工廠做目標；戰事緊張嚴重，隨時有被轟炸的

可能，隨時都是死亡的時刻。工人一拿到錢，一有休假，反正命在旦夕，大家都儘情喝酒賭博，或是去妓女戶，過一天算一天。

苦悶少年時　中學生與黑道決鬥

工廠的學生分兩種：一種是，處於戰爭之中，一口怨氣好似沒辦法吐，常常找人家打架出氣，我們稱之爲「硬派」；另外的是專門追求女孩子，放縱感情，我們將之歸納爲「軟派」。我當時做班長，不屬於任何一派，自認身爲模範，應敬謹從事，認眞做班長的工作。

在工廠，學生分班，班之下又分組，從基礎學習做機關砲；技術成熟後，再派去做更複雜的部分。

我擔任組長，管理十幾個人。技術漸漸進步後，派去檢驗室，檢驗機關砲零件是否精密準確，等於是品質管理。檢驗室除了我們那一組，全都是女學生。因此上級生和同級生嫉妒了，酸溜溜的說：「哦，你們派去那麼輕鬆的地方，四周又全是女學生。」他們就在女生之中裝出男性氣派，讓女生有好感，又欺負我們那組體格最瘦弱的人。

我們同年級的一個同學，參加幫派，身跨硬派和軟派。有一天，組員來報

告，說：「班長，班長，我們同年級的人……」說那個同學常常欺負我們這一班的人。依照當時日本傳統，中學生的規矩，哪一班的人被人家欺負，哪一班就要派人出來，和挑釁者面對面「決鬥」。同學討論說：「我們這一班要派誰去決鬥？」

我認爲，身爲班長，不能推卸責任，決定自己出面，和對方決鬥。小時候曾經和人家打過一、兩次架，不算什麼成功的經驗；但是，早年暑假，三哥還強壯時，曾在庭院教我們打拳，我略略看過，稍微知道打鬥技巧。我說：「我跟他決鬥，不要緊！」雙方約定時間地點，找個行人少、比較寬廣的地方，不帶武器，空手決鬥。

時間一到，我赴約決鬥。對方和我體格差不多，看起來手腳俐落，常常練打的樣子。我當然緊張。回想小時候哥哥打拳的姿勢和招式，有樣學樣，勇敢與他對打，結果打得他叫不敢。當時的規則，對方如果認輸，我們就要停手，勝負立判。

打贏了！同學很高興，班師回廠。廠裡有一個換工作服的小房間，空暇時，我們常拿劍道的手套，互相比劃玩耍。那一天，因爲決鬥勝利，大家很興奮，說贏了贏了，我們得打拚加強。我就說：「好！我們再來訓練一下。」

開始戲耍，打來打去。

不湊巧，被我們打敗的那個同學，領著我們的上級生，一個黑道老大，恰好路過，看到我們在練打。上級生說：「原來這樣，很好很好，我們來友誼賽。」當時日本學生階級嚴明，上級生和下級生，分得很清楚，低年級絕對服從高年級。下級生違逆抗命，即使打贏，也會被人家制裁。

所以，同學對我說：「不要啦，不要跟他打啦。」對方卻一直說：「友誼賽，絕對不會再向你報復啦。」後來沒辦法了，我說：「好，純友誼賽。」於是下場比賽。

起先五比五，沒有什麼輸贏。後來，我突然想到三哥的竅門：看到對方有縫隙就衝，不只打一下而已，而是迅速的一輪猛打。我心想：「好，就這樣試試看。」瞄一瞄局勢，就衝過去，迅速打個三、四拳，再退回自己的陣營。果然有效！我有了自信，用這個步數，見隙就衝，一陣猛打，然後再回來。

不久，對方漸漸不支，流鼻血，身體蹲下去。我說：「好了，不要再打了。」但他很不甘願，說：「不湊巧撞到旁邊的櫃子，不然我是不會輸給你的。」旁邊的同學說：「撞到櫃子嗎？沒有啊，櫃子離得那麼遠，怎麼可能

撞到？」友誼賽結束。

之後，我一直煩惱會被上級生拖去修理。結果沒有，因爲侯家兄弟的「庇蔭」。書文高我一級，品學兼優，很受尊敬。對方得知我是他的表弟，因而不敢出手。再加上書德更高一級，也是品學兼優，校內知名人物。因爲他們兩人，我托福了，沒被修理。

人生是什麼　戰火下的生命困惑

除了打架之外，另外還發生一件很重要的事情，影響我甚鉅。當時工廠有種磁鐵，小小片，不知什麼用途；檢驗室也有，隨便放置，沒有人管。有一個同級生說：「這種東西，可以拿回去玩。」我想，滿好玩的，所以就拿了兩、三片回去玩。

後來才發現，那個磁鐵不能拿回去。我很自責，心想：「我是班長，竟然不能分別什麼可以做，什麼不可以做。」隔天，馬上拿去歸還，並且向老師告白，說：「老師，我做了這件不對的事情，我沒有歹意，因爲同學說可以拿回去。但我做了這件事，沒有資格再當班長了，我要辭掉班長。」

班主任很理解我，他說：「好，我建議先不要辭，我給你幾天的安靜，算

是休職。幾天就好，幾天以後，你仍然要當班長。」我當了幾天普通員工，努力檢討自己。

我雖然出生於基督徒家庭，事實上還沒有信仰，不喜歡去教會。小時候住台南，半夜被父母親叫醒做家庭禮拜，照儀式呆坐很久，既痛苦，又不自由。我始終認爲：「人只要依良心行事，不要做壞事，就好了，何必去教會。」我不認爲宗教是必需的。

如今因無知而犯行，於我是很大的刺激。因爲成績漸漸優異，又因表現出色當班長，這種種，本使我對自己的理性和品德，滋長信心。但我自問：「你連這麼小的事情，都判斷錯誤，不能拿回去的東西，也拿回去……」從此，我才開始知道自己的罪，了解人不能僅僅依靠自己的判斷力，人很軟弱，常做錯事。我開始追問人生的意義是什麼？眞正的宗教是什麼？眞的有上帝？有神？

再加上每天目睹戰爭和死亡的恐怖，目睹工廠的工人，有錢就去喝酒，去風化區玩，過著醉生夢死、沒有明天的生活。我忍不住會想：「到底人生是什麼？」

我終於領悟，不只生命有限、道德有限、知識有限，人的信仰仍然是有

限，人的心靈也是很有限。每一個人都有罪，這個罪要怎麼樣解決？

踏上求安路　基督徒的心靈回航

我開始追求宗教信仰。我讀佛經，讀各種新興宗教的書籍，讀《成長之家》，當時日本很新的宗教，強調每一個人要不斷成長。我讀當時很著名的宗教「創價學會」的書籍；我接觸內村鑑三的思想，他是日本「無教會主義」的開創者，著作甚多；其中最著名的一本書是《求安錄》——求平安的記錄。

內村在《求安錄》中，自述他追求學問，沒有得到眞實的平安；追求各種宗教，也沒有得到眞正的平安；從事很多慈善事業，沒有得到眞正的平安；追求各種的快樂，也沒得到眞正的平安。他分析各種的幸福論，到後來，才在耶穌基督的裡面，找到眞實的平安。平安是從上帝那裡來的，眞神那裡來的，根據眞理公義而來的。

在閱讀和思索宗教思想和信仰的道路中，《新約聖經》和內村鑑三的《求安錄》，特別打動我的心。我讀《求安錄》非常感動，因此買一本小本的特別版，時時帶在身上，一有時間就讀，畫滿了紅線記號。《新約聖經》也是如此，放在口袋，常常閱讀。閱讀這兩本書以後，我深刻決定：「我仍然要

做基督徒。」從那時起，我開始認眞上教會，研究聖經。

青山學院的同學中，我認識一位很熱心的基督徒關亨君。以前在舊家坐電車往返學校時，途中常看到一棟堂皇漂亮的別墅，裡面有游泳池，好像是貴族的城堡。在日本很難得看到那麼壯麗的洋樓，我想：「不知道是誰住在裡面？」

有一次，關亨說，很希望能邀我去他家玩，因爲他父母親很歡喜跟我見面，想看他最好的朋友是什麼樣的人。我問他：「你家要怎麼去？在哪裡？」他說從電車看下去的那間房子就是他家——就是那棟漂亮的洋樓。

我應邀去他家，才知道他父親是許多家會社的社長，大實業家。那一天，他媽媽做了很好吃的料理，姊姊、妹妹也都在家招待。他父親爲我介紹他所蒐集的骨董，特別是日本刀，一把把拿起來讓我看，爲我說明。感覺上是非常好的基督徒家庭。

經由他們的介紹，我又認識他的音樂老師齊藤エマ小姐，她早年留學美國，學習音樂和美術，是很熱心的基督徒，常在家裡舉行禮拜天早上的禮拜，和下午的信仰座談。之後，我們常常帶便當，參加聖經研究會，或是老師的家庭聚會。那個聚會差不多十多個人，大部分是高中生或大學生，氣氛

美好，彼此親密；對我的信仰成長，也有很大的幫助。

生死一瞬間　夜夜空襲屍首遍地

戰爭期間，生活非常痛苦。糧食嚴重缺乏，永遠處於饑餓狀態，不知什麼時候才能吃飽。晚上睡不好，整夜跑來跑去躲空襲，每天還要去工廠做工。最後一、兩年，幾乎每晚都有飛機轟炸。再加上美國的潛水艇威脅，海上常有潛水艇出沒，將來往日本的客船或貨船全部炸沉。

當時台灣跟日本的交通，幾乎都是依靠船運；如此一來，日本與台灣無法聯絡，音信斷絕。我們隻身在日本，遠離家鄉，有自生自滅的感覺，陷入很大的孤獨與絕望。那時我忍不住想，有生之年，大概不可能再和父母親見面，不可能再回到家裡……

大哥、二哥、三哥早年赴日本讀書，二姐、三姐、四姐、五姐隨後也赴日，之後就是我；六姐、七姐大約是戰前沒多久才來。戰爭期間，大哥、二哥已經學成回台，開診所行醫；三哥、四哥早逝。經濟上，我靠早先的錢，勉強過活；很困難時，我就去向四姊、五姊借，省著用，其實也沒什麼好花

用的。

轟炸日益頻繁，時局日益危急，每天晚上都得揹著重要的物件躲避空襲，躲躲藏藏，閃避無法預料的炸彈。有一次，飛機轟炸得非常厲害，我在疾跑之中，突然間，一顆燒夷彈落在眼前，正好擊中身前奔跑的一個日本人。那人被燒夷彈的火油噴來噴去，全身著火，痛苦不堪。幸好旁邊就是水池，他趕緊跳進去，撲滅火勢，一直洗一直洗。附近，火油仍然噴濺不已，我們只能東逃西竄，趁機躲在橋下。

火光熊熊，從夜裡直到清晨，轟炸才結束。我們從躲避空襲之處走出來，看到四周都是或猛或弱的焰火在燒，遍地屍首，死的人面目全非，沒死的人低低哀嚎。我們聽到母親呼喚孩子的聲音，孩子哭喊母親的聲音，雖是人間，實在與地獄一般。而我們還要趕去工廠製造武器。

勝利與幻滅

同鄉會選舉，高天成博士最高票當選會長。當選沒多久，就有人大聲喊叫，說這次選舉不公平，甚至有人說：「窗戶全部關起來，打贏的人當會長！」聽到這種話，原本快樂的心情，全部消失於無形。那件事讓我感到台灣人的悲哀，納悶不解：「怎麼會這樣？台灣人怎麼如此爭權奪利？」

戰爭末期的自殺潮

戰爭將於何時結束，如何結束，當時我想沒有任何人預期得到。戰事最危急時，日本社會有兩種說法，一說天皇已經下令，一億國民都要玉碎，戰死護國。因此民間瀰漫一種很悲慘的決心，要徹底決戰，直到最後一個人死亡爲止。

另外一種說法是，日本自古是神國，歷史上蒙古大軍遠征日本，海上突然颳颱風，將來襲之船殲滅。日本人稱「八百萬的神明」，會幫助大和民族贏

得最後的勝利。這種說法在庶民之中廣爲流傳。

第一枚原子彈投擲於廣島，舉國驚惶。報紙報導，說是「新的武器」，瞬間有很強的光和很大的聲音，並且爆炸，造成幾十萬人死傷。軍方出面安撫民心，說：「不用怕，任何一種武器都有對付的方法，日本人仍然要勇敢奮戰到底。」

也有人從人道立場批評美國，說一次大戰時發明毒瓦斯，最後國際公約禁止使用毒瓦斯。當時也禁止新式武器達姆彈，那種子彈一打中，就在身體裡面炸開，使人很痛苦的死去。日本根據這種理論，批評美國投擲原子彈，爲「非人道的國民」，歐美人士就像鬼、像畜生一般，缺乏人道精神。

戰爭尾聲，美軍登陸沖繩，日本最高軍事總指揮東條英機下令，叫老百姓絕對不能投降，要戰到最後一個人；不能戰的婦女、小孩，都要集體自殺。戰況最激烈時，整個家族躲進防空洞裡，有的母親怕嬰兒出聲，竟然活活將嬰兒摔死，以免被美軍發現。

那時候，最容易的自殺方式，就是用手榴彈，一、兩個人抱在一起，拉開保險，轟的一聲，立即死亡。大部分的人沒有手榴彈，也沒有武器，有人拿鐮刀切腹，或拜託家人將他砍死。有人連鐮刀都沒有，就拿石頭敲破腦袋；

再不然，就從懸崖或高處往下跳，自殺身亡。沖繩現今建有紀念塔和紀念館，悼念當年集體自殺的人。

美軍登陸沖繩時，我們聽說有一個國小老師帶領學生，有人拿竹製的槍，有人拿削鉛筆刀，奔前與美軍打仗。結果，老師和學生當然被打死。當時的學校和社會，就是用那種事蹟勉勵日本人：「連老師跟小學生，都那麼勇敢，我們年輕人或中學生，也要勇敢保護自己的國家。」一般都是用那種眼光在評斷事件，勉勵生者繼續奮鬥。

台灣人的認同錯亂

一九四五年八月十四日，我們仍然什麼都不知道，不知道世界就要改變，歷史就要改變，每個人的命運也要改變；只知道明天中午工廠停工，大家必須聚集，恭敬聆聽天皇陛下的廣播。

八月十五日「玉音放送」。天皇陛下講的日本話，屬於皇室用語，很典雅，與一般人說的話不太一樣。工廠幾千個人，立正聆聽喇叭傳來的天皇講話，收音機音量小，聽不清楚。廣播完後，我並不懂內容說些什麼，只覺得天皇陛下用很沉重的心情說話。

大家茫茫然互相詢問，後來老師解釋了：「意思就是說，戰爭結束，日本無條件投降了！」

我們聚集工廠聽廣播，很多工人是朝鮮人，他們聽到戰爭結束，日本無條件投降，好幾個人立刻大喊：「萬歲！」他們自覺勝利了，不再受日本統治。當場有些日本人不服，雙方立時爭吵起來，氣氛混亂，幾乎失控。

這在以前，是很少見的情形。歷史已經走到轉折點。

在日本的朝鮮人，大多被強制抓到工廠或礦場做工，勞動階級占了大多數。日本人對朝鮮人的一般印象，就是他們沒有知識，是勞動階級，是基層游民；台灣人生活比較富裕，以留學生居多，屬知識份子階級，比較有學問。

至於我自己，當時自以爲是日本國民，心情也很悲哀，感歎：「啊，戰爭結束了，我們輸了。」過了一段時間，有人通知說：「你是台灣同鄉會的會員，要不要來參加活動？我們現在變成戰勝國國民了。」這種巨大的認同變化，是人家告訴我，我才知道的。

和朝鮮人一樣，台灣人也有人清楚意識到「我們戰贏了」，但是反應比較慢。在東京的台灣人，留學生占大部分，一小部分是被強制抓去的青年工

人，他們馬上組織「台灣同鄉會」，發放「台灣同鄉會」的證明，好像是身份證那樣；用這個身份證，可以免費坐電車，因爲我們是戰勝國國民。這件事情讓日本人很反感，他們有制度，即使是戰勝國國民，要坐電車或什麼，應該還是要繳錢。

同鄉開會爭權奪利

終戰後，東京地區的台灣同鄉會，借明治學院大禮堂開會。東京地區幾百名台灣人，聚集一堂，見面非常高興；特別是確認我們屬於戰勝國國民，非常的高興。

我和書宗、書德、書文都來參加。台灣同鄉會聚會時，有人教三民主義，教唱國歌。我頭一次聽到國歌的旋律，非常感動，心想：「哦，我們的新國歌，這麼莊嚴……」從音樂的角度，國歌實在是莊嚴肅穆之曲；加上教唱的人是聲樂家，音色渾厚，技巧一流，悅耳好聽。同鄉會還有種種才藝表演，拉小提琴、彈鋼琴、唱歌，氣氛非常溫暖，讓人深覺身爲台灣人的驕傲，說：「哇，我們在日本也有這麼多優秀的人才。」

表演結束，進入選舉程序，選舉同鄉會會長和委員等等。我的堂兄高天成博士最高票當選會長。

高天成是大伯父高金聲牧師的長子，林獻堂先生的女婿。少時就讀長榮中學，後赴日就讀京都同志社中學、名古屋第八高等中學，一九二四年考入東京帝大醫學部。畢業後擔任醫師，並於一九三八年獲帝大細菌學博士，一度

中學時代的高天成（右）

曾赴南京同仁會醫院任職，後又返日工作。

高天成才剛當選，一些很想當同鄉會會長、委員的人，就大聲喊叫，說這次選舉不公平，或是怎麼樣……開始大聲批評、攻擊。

我們嚇了一跳，和諧溫暖的氣氛，霎時中止，破壞無遺。後來甚至有人嚷嚷：「窗戶全部關起來，打贏的人當會長！」聽到這種話，原本歡喜、快樂的心情，全化爲幻影，美夢般消失於無形。我帶著極度失望的哀傷，離開會場。

那件事讓我感覺到台灣人的悲哀，納悶不解：「怎麼會這樣？台灣人怎麼如此爭權奪利？」後來親戚在高天成醫師家裡聚會，相互交換台灣的訊息，關心台灣的情形。有人對他說：「很可惜，現在變成這樣亂糟糟的。」高天成醫師說：「別再說那些事情了，誰當會長都不要緊，我們一定得疼惜台灣。」

當時我才中學三年級，對於誰要當會長，誰要當委員，不是很關心，只單純從父母和蔡培火先生那裡，得來很天眞的漢民族意識。我並不記得同鄉會的組織，或是政治界有什麼大人物、經濟界有什麼大人物，他們在時代的交叉路口，做了哪些銜接的工作。

至於一般日本社會，在天皇陛下宣佈無條件投降後，發生兩、三種現象：一種是盡忠愛國的軍人，無法忍受戰敗，因而切腹自殺。另外一種是生意人，歷經戰爭的經濟蕭條，終戰後，馬上大張旗鼓，擺路邊攤。平常買不到的食物或其他東西，擺得到處都是，整個景氣活潑起來，但價格昂貴。路邊攤受黑道控制，這個地方是某某人管的，那個是某某人控制的，其他又是誰負責的。生意界和黑道之間，勾結甚深。

另一方面，戰爭結束，日本敗給盟軍，勝者爲王，歐美文化在第一時間內就進來了。戰後我回到青山學院讀書，一下電車，車站前的廣場，開始有現代音樂當場演奏；社交舞蹈，當場教授；歐美電影也漸漸進來。戰前和戰時，住在日本的英國人、美國人，都是少數。那些人大部分被關進俘虜營。戰爭結束後，美國軍隊進駐日本。爲了要安頓美國和外國的軍隊，特別開放風化區，充當軍中樂園。

這是日本人的性格，要拚，就拚到徹底；一旦輸了，就完全改變，很乾脆，阿沙力。

歸鄉悲喜曲

出埃及令人振奮，但是出埃及以後，並非馬上進入流奶與蜜的應許之地，而是先歷經四十年曠野的生活。所以要用更堅定的信仰，克服無數的苦難，才得以進入迦南地。我心想：

「聖經實在奧妙，預示往後我們的奮鬥方向。」

出埃及　流離苦難四十年

戰爭一結束，我日夜想著趕快回台灣。我很想念父母親，很想念故鄉，完全不想待在日本。所以三年級只上了一半，就辦退學，待在家裡，讀書、釣魚，做自己喜歡做的事情，等候返鄉的時刻來臨。那段人生的空檔，變成一個非常輕鬆的假期，沒有什麼特別的任務要完成，沒有什麼工作非做不可。登記，排船期，都是書宗他們設法的，我樣樣都不知道。書宗繼續留在日本，完成醫學院教育。書德、書文與我同搭一艘船回國。

終戰隔年，一九四六年元月，我們坐「大久丸」回台灣。船從橫濱出發，

原本是貨船，載人太輕，太不安穩，於是在艙底壓很多沙石，加重船身；船艙則鋪席子，供乘客睡覺。我們就是坐這種船，慢慢航向南方的故鄉。我的身分，從小學生變成中學生；我們的時代，也從日本時代，變成一個純然陌生、超乎想像的紀元。

戰時日本爲了保護本土，曾在四周海域投下無數水雷。戰爭結束，水雷卻還沒完全清除。船長說，遇上颱風，水雷會在海中飄來飄去，船什麼時候會撞上，會發生什麼危險，都不知道，請大家要提高警覺；萬一誤碰水雷，請大家聽船長的指揮。聽了這番話，整個歸途，心情始終驚惶，一方面船身不穩，搖來晃去；一方面則擔心撞上水雷。戰爭結束了，不一樣的驚惶，仍然存在我們心裡。

船上發生幾件事情，讓我的印象很深刻。在信仰方面，我們受吳振坤教授的影響很大。吳教授在日本研究哲學，是很熱心的基督徒。航程中，每天都主持「聖經研究會」，和大家一起研究〈出埃及記〉。他口才不怎麼好，但講話很有內容。他說，我們現在就像舊約中的出埃及記，出埃及令人振奮，是快樂的事；但是出埃及以後，並非馬上就能進入流奶與蜜的應許之地，而是先歷經四十年曠野的生活。這四十年的流浪，遭遇敵人，遭遇背叛，可拉

的叛亂，沒有米糧可吃，挨餓受凍的種種磨難……我們要用更堅定的信仰，克服無數的苦難，才得以進入迦南地。

詳細經過我不記得了，但是印象中非常感動。我心想：「聖經實在奧妙，預示了往後我們奮鬥的方向。我們當殖民地和二等國民，達五十年之久，現在眞的做自由的人了。戰勝國的國民，要努力建設自己的祖國。」

同船的台灣同鄉，自動自發舉辦音樂會和才藝表演。我記得當時舞蹈家蔡瑞月女士也同船，她在才藝表演中，表演芭蕾舞，並邀集我們幾個年輕人合唱台灣民謠：「來看咧啊！一、二、三，水牛吃草過田岸，烏秋娘仔來作伴，腳背頂站地看高山，美麗島，美麗島，咱台灣！」她教我們幾個人合唱，她再就著節奏編舞。返台後，她繼續爲台灣的現代舞效力，除了因政治迫害坐牢，前後從事舞蹈創作和教學，達五十年之久，也是一則動人的傳奇。

家破產　破碎山河是故鄉

比較差的印象也是有兩件：其一，有一個英挺好看的台灣青年，穿著美軍軍服，對大家說：「我是國軍的代表，受麥克阿瑟委託，管理這艘船，所以

大家要聽我的命令。」他深具領袖氣派，大家不疑有他。五、六天後，船漸漸接近台灣，遇到颱風，因此改變航向，駛進鄰近的沖繩群島避颱風。這時才有人注意這個「國軍代表」的態度怪怪的，就一直問他，問到後來才知道他是假的。謊言拆穿後，他被大家修理一頓，打得很慘；然後又抓到眾人面前，向大家道歉。他說，他因爲認識美軍，於是買了美軍軍服穿，以爲如果在船上當總指揮，回來台灣，說不定可以在國民黨內謀到比較高的官職。

另外一件事：同船的乘客，台南一中或是其他學校的留學生，聚在一起開同窗會。同窗會原本是很快樂的事情，卻因政治理念不同，有人主張共產主義，有人主張三民主義，彼此口角，產生衝突，場面混亂。我再一次目睹意識分歧讓台灣人變成一盤散沙，非常痛心的經驗。

歸途尾聲，船上突然有人霍亂病發，船長趕緊將他隔離到船尾的獨居房，除了端飯去的人，禁止與其他人接觸，以免傳染。因爲這件事，船抵達基隆港時，接到命令，必須駛回港外停留，檢查霍亂有沒有感染其他人。那情況造成我們精神上巨大的痛苦。四、五年的戰爭，時空的阻隔，我們已經和家人太久不曾見面；沒想到抵達家鄉，仍不能登陸，必須再度離開。

在港外停留期間很痛苦、很煎熬。其間有小船駛來，兜售香蕉啦、土產

啦，勉強算是一種趣味，苦中作樂，因爲生活實在太無聊了。檢查了三個禮拜，發現沒有傳染，才宣布說幾天以後可以登陸。

登陸基隆港以後，心情倍覺溫馨。有善心人士在碼頭擺台灣特產迎接我們，無論是誰，從日本回來的，都可以自由挑選。他們很有禮貌地把食物發給我們這些返鄉的旅人，讓我們有一種說不出來的、回到自己故鄉的歡喜。

戰時基隆被盟軍密集轟炸，整個港區毀損不堪。從基隆坐火車回台南，看見以前整齊乾淨的台南街道，滿目瘡痍，這裡也遭砲擊，那裡也被轟炸，處處是戰爭的痕跡。

除此之外，回家我才知道，我家在戰爭中破產了。醫院被炸毀，幾乎歇業；父親年逾六十，健康大不如前；平常只有三三兩兩的患者，來到毀損的醫院給父親看病。收入大減，經濟困難。我們從富裕之家，走向貧窮，幾乎每餐都吃蕃薯籤稀飯或蕃薯塊稀飯，簡單配個小菜。我回到家，迎面而來的感覺，就是痛苦與失望。

第3部 理想年代

學了一年排灣話，我開始進入原住民山區傳福音。
起初，因爲身體虛弱，
走一、二十分鐘山路，就腳軟發抖；
操練一、兩年後，一天走十二個小時，都沒大礙。
夜裡沒地方歇息，就睡在禮拜堂的講台，
老鼠跑來跑去，跳蚤跳來跳去，
經歷那種痛苦，對我日後坐牢，也是一種提前訓練。

少年托爾斯泰

少年的我，受托爾斯泰的精神感召，準備為貧窮的、受壓迫的人獻身。日日夜夜，除了無所不用其極的鍛鍊體魄，我在心智上也迫切追求真理，可以說是一個很極端的禁欲主義者。

極端的禁欲主義者

戰後，醫院和住家已被炸成斷壁殘垣；父親年老體衰，經濟大不如前，只請人幫忙煮飯、洗衣和拉車。我們從廢墟中，起造新家園。

在日本讀書時，我很喜歡閱讀托爾斯泰的作品。托爾斯泰是舊俄時代的貴族，著名的文學家，撰有《戰爭與和平》、《安娜卡列尼娜》等鉅著。他的家族，有權有勢，領有農田萬頃，農奴無數。但與一般貴族終生安享榮華富貴不同，晚年他把土地分發給農奴，幫助農民受教育，自身奉行禁欲主義：

布衣粗食，勤工勞作，與貧窮的人同貧窮，與鰥寡的人同鰥寡，至死不渝。

少年的我，受其精神感召，立志實踐托爾斯泰哲學，準備為貧窮的、受壓迫的人獻身。我身體瘦乾乾的，一天只睡三、四個鐘頭，要把每個時刻的能量充分發揮；我摒棄魚和肉，只食用少量粗菜淡飯；在學校，努力踢足球、打橄欖球、跳高、撐竿跳，和舉重，以鍛鍊體魄；放學後，打掃住宅前後院，給成百盆的蘭花和盆栽澆水。以前家裡有許多佣人，如今只有玉鳳一人洗衣煮飯，整理家務。於是我自願幫忙做粗活，親近勞動。空閒時，又和車伕練習拳擊。

日本舊學制，一學年有三學期，因為急著返台，我沒讀第三學期；回到台南，乃轉入長榮中學三年級。返鄉之後，面臨許多問題。起先是語言，學校改用中文，講華語。不知道為什麼，我對華語有一種反感。雖然回到祖國懷抱，對祖國的官定語言卻有抗拒。或許我本來對語文就不太感興趣，所以沒認眞學習；一直到畢業，華語都沒什麼進步。

也因為語言的緣故，繼之而來，我對初中三年級和高中的學業，都不太有興趣。當時我追求眞理的心，已非常強烈，自己選定一系列的書籍，大多是托爾斯泰、基督教義、偉人列傳的日文書，一直買、一直借、一直讀，依排

定的進度自修。

日日夜夜，除了鍛鍊體魄，我在心智上迫切追求眞理，可以說是一個很極端的禁欲主義者。

體力耗竭大病一場

這種托爾斯泰式的生活，大約過了兩年。外表看起來，我的身體越來越壯，肌肉越來越發達。長榮中學升高三的暑假，我從台南赴淡水，參加首度舉辦的基督教青年團契研習會。在淡水期間，深深的疲憊、深深的睏意，全面襲來。研習會結束後，眾人因難得南北聚集一堂，繼續留下來討論聊天。但我覺得情況大異，好似身體已經不屬於我，於是收拾行李，立刻搭火車回台南。

一回到家，整個人就垮了。無法言語，倒頭就睡。到了晚上，母親發現我昏睡不已，高熱不退，熱到四十度左右。父親和二哥趕緊來診治，無法判斷是什麼疾病；又找三舅侯全成醫師來看診，也檢查不出病因。無名高熱持續不退，身體極度虛弱，群醫束手。親戚朋友和青年團契紛紛來探病，聽說我「已經沒辦法了」，因此趕見最後一面。

經過漫長時日的昏睡和調養，高熱漸漸退去，能夠起身下床。因臥床太久，雙腳無力，連站立的力量都沒有。三輪車伕幫忙撐著，我一步步練習走路，才明白「舉步維艱」的滋味。

病因始終不明。如今回想，我猜是長期的營養不良、睡眠不足，過度激烈的運動和勞動所致。營養不良是戰時以來的痼疾。在日本讀書時，糧食不足，配給制的米食分量，無法滿足一個發育期少年的需要。我一餐能吃四、五碗飯，是所謂的「飯桶」。配給初期，一餐卻只能吃半碗飯；到後來，連米飯都沒了，只能吃蕃薯、大豆；再後來，連大豆也沒有了，只能吃豆渣。

戰後返家，三餐是蕃薯籤稀飯，或者配點小菜，飲食情況算大有改善；但腸胃卻出了問題，顯然不太能吸收，習慣性瀉肚子。如此一來，我益發急躁，心想，身體既然虛弱，必須加緊鍛鍊，趕快成爲一個健康壯碩的青年才是。我一天二十四小時力行托爾斯泰哲學，兩年後，以重病終結，暫時中止我的人生課題。

青春的苦行

長榮中學期間，每個禮拜六去清風莊，禮拜天去愛護寮做義工。那幾年的意志訓練，對我的人生，有很大的助益。若我覺得某一事情是要緊的，某一目標是重大的，不論遇到什麼艱難，我一定堅持到底。這信念，成了我人生的主軸。

純眞年代的歷險

一八八五年九月，英國長老教會在台南開設中學，延續至今，即今長榮中學，是台灣第一所中學。根據當年七月《台灣府城教會報》第一張，〈論設立中學〉一文，可略知當時的庶民風情和教育現況：

「設立中學的意思是怎麼樣？是因為人們在小學所讀的不很深，而只認識字，並未學到其他科目；所以阮想在府城設立一所中學，使人們能接受各項教示，如聖經的道理、讀白話字、讀唐人字（即漢字）、寫字、地理、各國的記錄、算術、天文等等。所以請來了一位英國的先生（指余饒理校長），

要料理此事。如果有人要送子弟來讀，得寫信通知阮，或是通知傳道者轉告阮。先生的薪津由阮負責，不過學生得負擔自己的伙食費，一個月差不多一個銀錢。這個中學要於八月初（農曆）開學，那時候大學讀書的學生（指讀神學院的）會回到府城，要進中學的學生可和伊（他們）一起來，要來的學生至少十二歲。」（賴永祥譯成白話文，見《教會史話》第四輯）

建校初始經費，大都來自英國蘇格蘭母會宣道會。一九一五年在東門城外購地，興建新校舍，一半的經費則由台灣教會自行籌措。南部的鄉紳李仲義、顏振聲、劉瑞山等基督徒爲此捐獻和張羅巨款，都是台灣教育史上的里程碑。

長榮中學設校以來，高家與之關係深厚，多位子孫就讀該校，多位親戚擔任校董，三舅侯全成還曾任董事長。我從日本返鄉後，無須考慮，就直接進入長榮中學。

長榮中學時期的我，有一個缺點：很重視外表，很愛漂亮。雖然每天穿制服上學，衣服一定洗得乾乾淨淨，燙得平平整整，皮鞋擦得閃閃發亮。這樣的打扮，當然引人側目，但我不在乎。有一個上級生，也是愛漂亮的人，以前他的穿著，是全校最特別、最出眾的。突然冒出一個我，與他爭采，使他

很不自在、不舒服。但這都是我事後才知悉的。

有一天，我和蔡敬仁一同上學，他自日返台後，寄住我家。我倆於途中遇見那名上級生，夥同兩名退學生，既沒穿制服，也沒戴帽子（印象中，上級生也沒戴帽子），從不遠處走來。我不知道他們是學長，也就沒有行禮。他們三人立刻把我叫住，質問說：「你這個下級生爲什麼沒向上級生行禮？」隨即對蔡敬仁說：「你先走。」然後把我押往青年路的僻靜之處，不由分說，三人開始圍毆我。

日本學校傳統，上級生與下級生之間，階級森嚴。雖然時代改變，遺風仍在。我杵在無人行經的小路，安安靜靜領受修理，依舊禮，完全不能還手。三個人的拳頭，一拳接著一拳，雨般落在我的臉上、頭上。我覺得痛極了，感覺到鼻青了，臉腫了，血流了，我心想著：「不知幾時才結束？如果能夠暈眩而倒下，不再被打，該有多好……」

終於聽到有一人說：「好了，夠了。」他們停手後，我還得敬禮、致謝，感謝教訓。

我把血擦一擦，到學校上課。放學回家，大嫂看見我，嚇一大跳，急問：「你的臉怎麼了？」我自己想說打完就算了，也不知道臉變什麼德性。大嫂問

起，我就把情形大略講了。不料大嫂告訴大哥，大哥很生氣，回父親家，找了三舅侯全成、二姑丈吳秋微，他們倆都是長榮中學董事，說明此事。他們一聽，非常生氣。就赴學校找校長趙天慈先生。

校長找蔡敬仁來問個明白，果真如此；於是再找那名上級生來，得知其他兩人是退學生，已加入幫派，更是生氣。後來校長在朝會上訓誡此事，要上級生向我道歉，並明令禁止上級生無理對待下級生的慣例。

同窗際遇各浮沉

被上級生修理之後，我愛漂亮的個性，並沒有因此收斂。無論上學、去教會、參加聖歌隊或青年團契，都打扮得很整齊。即將畢業時，心念突變，漸有反省，心想：「必須那麼注重外表嗎？」讀神學院時，有了兩極化的轉變，根本不理會外在的形式了。

在長榮中學時，有一個同學，是所謂「壞學生」，姓李，身上藏刀子，隨時準備和人打架。也不知道爲什麼，我和他成爲好朋友。他是台南善化人，擅騎馬，常邀我去他家騎馬，很有耐性的教我。有一天他說，他很想改過向上，想做好孩子；但聽說學校有意把他退學，拜託我父親向校長說好話，他

一定努力學好。

我懇求父親成全，父親果眞出面說情，學校也沒把他退學。他信守諾言，認眞改進，不再打架。這是我在長榮中學一段美好的回憶。

長榮中學高一時，進來一個新同學，體格壯碩，一看就是運動選手。後來聽說是從上海回來的台灣人，名叫林永杰。戰時在上海就讀日本學校，日語很好，文筆出眾，擅於繪畫，柔道有兩、三段，拳擊也很厲害。如此文武雙全，在學校馬上成爲新聞人物。不知道爲什麼，我也和他成爲好朋友，常常邀他與書文、書德、敬仁，一同練拳擊、柔道，玩橄欖球、踢足球。

林永杰對我的影響很大。我從他那裡學習柔道和拳擊，特別是，也開始學習寫詩。從那時起，我隨身攜帶一本筆記簿，想到什麼，就立刻寫下來。起先只是隨筆，像托爾斯泰的《人生案內》和《人生讀本》，收集世界名人的金言那樣，短短的感言。漸漸我養成了日文寫作的習慣，又演變成後來寫日文詩的基礎。從十八歲到三十三歲，我持續寫日文詩，一九六二年結集出版，即《瞑想の森》。承蒙賴勝烈老師譯成中文，一九八九年出版，中文版書名《瞑想的森林》。其中一篇〈百合就應該像百合的樣子〉：

百合就應該像百合的樣子，
請綻放盛開吧。
雲雀就應該像雲雀的樣子，
請高聲歌詠吧。
金魚就應該像金魚的樣子，
請逍遙環遊吧。

不要因為荊棘繁茂，就想變成雲雀。
不要因為烏雲滿天，就想變成金魚。
不要因為水污混濁，就想變成百合。

為要綻放盛開，百合應全力以赴。
為要高聲歌詠，雲雀應全力揚聲。
為要逍遙環游，金魚應竭盡全力。
在那時候，人人就能得到慰藉。

這首詩描寫了當時我在主耶穌裡，找到罪的赦免與新的生命。

畢業後，林永杰從事貿易，事業成功；基於對柔道的興趣，又開設柔道

館。他勤於練習，晉階至柔道五段，獲聘爲國際裁判。多年後，我因案坐牢，他中風倒地。我出獄後，曾幾次去探望。每次見面，他都傷心落淚，乃至放聲大哭。

之後他又二度中風、三度中風。如今已無法說話，倚賴妻子餵食。偶而我還去探望，但不知是否妥當。我可能給他很大的刺激，當年瘦巴巴、無精打采的高俊明，到現在仍然健壯；而他，當時眾所仰望的英雄，競技場上的勇者……

我多麼懷念他。

每週兩次義工行

經過漫長的信仰懷疑和宗教探索，中學時代，我已經確信我是基督徒。我認眞參加教會的聖歌隊、聖經研究會和青年團契，自願擔任主日學老師。效法托爾斯泰老年照顧農奴和窮人的行爲，我也開始到台南市「愛護寮」當義工。愛護寮又名貧窮寮，專門收留貧苦無依、無家可歸、殘障被棄，或有精神疾病的人。

自從得悉有愛護寮之後，每個禮拜天，做完禮拜後，我一定到愛護寮幫

忙，協助處理生活細節，給予精神安慰，幫經濟上的小忙。我又組織野外主日學，教愛護寮的小朋友唱歌，說故事給他們聽。從長榮中學到神學院畢業，四、五年間，我不曾中斷赴愛護寮。也是在那裡，我改變了愛漂亮的毛病，越來越樸素，越來越簡單。

後來我又得知有一個肺病療養所，叫「清風莊」。肺病是法定傳染病，當時屬絕症，病人過著痛苦無望的生活。我發現這地方之後，也立志幫忙。禮拜六下午沒課，便邀集幾個同學，騎腳踏車去清風莊，陪病人講話，吟聖詩，講聖經的故事，安慰他們。

其實我並不知道該準備什麼題材，該說些什麼，該如何應答他們對信仰的質疑。清風莊之行，對滿懷理想熱情、內心青澀稚嫩的我們，是很大的挑戰，也是意志的訓練和考驗。

每個禮拜六下午去清風莊，禮拜天下午去愛護寮；長期力行，是很困難的。有的同學認爲若尙未準備周全，去了徒增困擾和尷尬，就不去了；因此有時只有我一個人去。我認定那是一種使命，縱使一人，也獨自前往，拜訪、安慰一個個病人。

那幾年的意志訓練，對我的人生，有很大的助益。我親身體驗無助者的處

境，了解他們的心情，明白他們的渴求。漸漸的，我養成習慣。若我覺得某一事情是要緊的，某一目標是重大的，不論遇到什麼艱難，我一定堅持到底。這信念，成了我人生的主軸。

南神憶往

回想神學院的生活，基調是自由開放的，和老師親密交往，與朋友誠摯討論，氣氛溫馨。神學院四年，我若有內心的困擾和疑惑，常常找黃彰輝牧師解答。黃牧師的言教和身教，使我受益無窮。無論信仰或學識，他都是令人景仰的標竿。

台灣最早的西式大學

少年十五二十時，我覺得，生命的意義，在傳揚上帝的道理。爲了解悉聖經，明白福音，就讀台南神學院，是必經之路。

台南神學院是台灣最早的西式大學。英國長老教會在台宣教，始自一八六五年，在台南招募青年研讀聖經。之後，馬雅各醫師成立「信徒造就班」，之後甘爲霖牧師（Rev. William Campbell）在高雄成立「傳教師養成班」；一

台南神學院是台灣第一所西式大學。前排左四是校長巴克禮牧師，左五是高金聲，左三是漢文教師林燕臣，即林茂生之父。

八七六年，巴克禮牧師（Rev. Thomas Barclay）抵台次年，在台南招募青年研讀聖經，並將台南和高雄的養成班學員，集中培育，即台南神學院的前身。

起初學校設於舊樓（今博愛路派出所），學生共十五名，校舍簡陋。後來巴克禮牧師回英國報告宣教結果，並募得款項，返台購地興建學校，一九〇三年落成，即今之新樓。初名「大學」（Capital College），後改稱福音書院，再改名台灣基督長老教台灣神學校，後又改名台南神學校；戰後復校，始名台南神學院。

一八七二年加拿大長老教會派遣宣教師馬偕牧師來到淡水，學習台語，開設醫館，是爲北部宣教之始。直至一九〇一年馬偕牧師去世，他在北台灣建立了六十間教會。

分屬英國和加拿大兩個母會的台灣基督長老教會，從最切身的醫療傳教著手，逐漸設立醫院：馬偕牧師設立馬偕醫院，梅監霧牧師（Rev. Campbell N. Moody）和蘭大衛醫師建立彰化基督教醫院，馬雅各醫師成立新樓醫院。繼而甘爲霖牧師設訓瞽堂，教導盲人，即今啓明學校；戴仁壽醫師設立樂山園，收容痲瘋病人。

另外是西式教育的引進，興辦長榮中學、長榮女中、淡江中學、牛津學堂、台南神學校、台北神學校（台灣神學院前身）。文化上，巴克禮牧師將聖經翻譯成台灣話，設立聚珍堂，使用新式印刷，發行《府城教會報》，是台灣第一份報紙；甘爲霖牧師編撰廈門音字典，馬偕牧師編撰中西字典……以上宣教事工，不僅幫助信徒成長，對台灣的現代化過程，也有相當巨大的影響。

二次大戰日熾，日本和德國、義大利等軸心國締盟，與英美處於敵對狀態。政府命令長老教會「斷絕與外國宣道會之關係」，要求台南神學校更換日人爲校長；再加上長期的軍國主義和皇民化運動，強迫神學校師生赴神社參拜。凡此種種嚴重干預宗教信仰之情形，使教會決定寧爲玉碎、不爲瓦全，一九四〇年乃關閉台南神學校，萬榮華牧師（Rev. Edward Band）帶十五

名學生北上，寄讀台北神學院，直至終戰。

一九四七年，黃彰輝牧師從英國歸來，開啓他在台灣神學教育的重大篇章。

黃彰輝院長的一代典範

黃彰輝牧師出身屏東東港著名的基督教家庭，祖父黃誌誠、父親黃俟命，都是一代名牧。黃牧師畢業於東京帝國大學哲學系，赴英國劍橋大學攻讀神學；戰時任教倫敦大學，戰後返回故鄉，任教於長榮中學。

一九四八年，台南神學院正計畫復校，聘他擔任教師；但黃牧師力主「南北合一」，回歸一九一四年「南北兩神學院合一，達成台灣唯一神學校」的決議。他認爲以台灣之小，一所神學院就夠了，台南神學院不應該復校，他說：「合一，使我們屹立；分裂，讓我們跌倒！」（United, we stand; divided, we fall.）

台南神學院董事會仍然決定復校，一九四〇年九月起停辦的台南神學院，經過七年又七個月之後，再開學了。董事會禮聘黃牧師擔任院長。黃牧師於一九四九年八月起主持校務，是戰後第一任台南神學院院長，也是第一任台

上：黃彰輝牧師的少壯時期。
下：台南神學院時期的黃彰輝牧師全家福。

籍院長，任期達十六年。黃牧師在院長任內，仍然為南北合一而努力；一九五一年，南北大會終於合併，但是神學院因歷史包袱太重，仍未合一。

我讀長榮中學時，黃彰輝牧師是我的英語老師。多年後，我赴國外開會，聽到很多外國人稱讚黃牧師的英語純淨、古典、漂亮。但最重要的，是他的

言教和身教，使我受益無窮。無論信仰或學識，他都是令人景仰的標竿。

我在長榮中學時代、台南神學院時代，或擔任太平境教會青年團契會長時，遇到種種問題，比方說有關組織，或是指導者的條件，我都去請教黃牧師。對我而言，有機會接觸到這麼好的老師，是人生的幸運，我很喜歡在他底下受教。

依舊制，初中畢業或是舊制中學畢業，即可報考台南神學院。黃牧師爲提高神學院至大學水準，規定高中畢業生才能入學。我於一九四八年就讀台南神學院，是高中畢業生就讀四年制神學院的第一期生。

入學考分筆試和口試，先前還需要教會牧師推薦函，說明考生在教會的表現。口試時，黃彰輝牧師問我：「你爲什麼來考神學院？」我引用聖經，說：「因爲基督的愛，吸引了我。」他又問：「那麼，你畢業以後是不是要當牧師？」我說：「我不要當牧師，我要辦孤兒院。」黃牧師有點意外，一般神學生都是說要當牧師，或是爲教會做工，而我只提到最根本的動機。

神學院規模很小，神學生人數很少，全校總共五、六十個學生。一年級一班，我們班十二人，女生三、四人，其他都是男生。專任教授約四、五人，兼任教授則從附近教會聘來。黃牧師講授系統神學、教義、基督教倫理。因

爲學校小，師生關係密切，氣氛融洽好似家庭。如今台南神學院規模較大，增加了幼稚教育系，社會服務系，音樂系等等，學生增爲兩、三百人。

神學院四年，我若有內心的困擾和疑惑，常常找黃牧師解答。黃牧師是很誠實的人，很認眞讀書思考。聖經或人生的問題，無法立即有明確答案；但他並不以權威自許，遽下定論，而是說：「這件事情我們還要繼續研究。」他既有理論，又有實踐力。他的信仰、誠實、學問、國際觀，或是對青年的關心，都令我懷念。

他曾在倫敦大學教東洋史，也常常參加國際會議，相識滿天下。一九六五年黃牧師主辦「基督教來台宣教百周年」大會之後，交卸總會議長和南神院長職務，受聘赴日內瓦擔任普世教協「神學教育基金會」副總幹事、總幹事，直到一九七九年退休。當時，南非的圖圖主教（Bishop Tu Tu 一九八四年榮獲諾貝爾和平獎）即其助理。

多年後，我從監獄服刑出來，赴加拿大訪問，遇見圖圖主教。他對我說的第一句話就是：「我很尊敬黃彰輝牧師，從他那兒得知台灣的種種，對於台灣還有一點了解。所以，我很支持台灣教會對人權的尊重，以及爲民主、法治、自由所做的努力。」

東南亞最大的神學院

黃牧師理論深厚，實際行動力也很強。台南神學院財務非常困難，院長的重要任務，就是要收支平衡。他聘請黃主義牧師娘來當會計，她的帳目正確，又疼惜學生，用心照顧學生的伙食和生活，使他無後顧之憂。

黃牧師常受邀請赴各地教會，報告台南神學院的情況，鼓勵南部教會信徒參加「一口十元」的奉獻。他很具體的告訴信徒：「每個人都能夠幫助神學院，一口十元。你一年可以認養幾口，或是認養幾十口、幾百口，無論是年輕人或是大人，都可以認養。」也就是說，你一個月捐十元，認養一口；如果你願意認養十口，每個月就捐一百元。若不想固定認捐，一年三十元或四十元，也可以。那是一個很符合大家能力的募捐方式，也很具體，很多人都可以參與。

他也常向國際社會報告神學院的長期工作和新計劃。他特別指出，工業化社會是一種無法避免的潮流，我們要聘請有經驗的人，來台灣指導學生。國際友人深覺意義重大，乃出錢幫助台灣從農業社會進入工業社會。

黃牧師深信本土化。台南神學院附近是東門圓環夜市，晚上生意興隆，人來人往，吃點心，或看打拳頭賣膏藥。他用聖經典故，提出耶利哥城的計

劃，建議神學院也設店置攤，做吸引人的生意；透過做生意，了解四周圍的人，成爲傳福音的據點。

他很有創意，擅長規劃有意義的事工，爭取台灣和各國的支持。任內興建老師宿舍、頌音堂、女生宿舍，始終生機蓬勃。黃牧師在任十六年，台南神學院從一所只有十七名學生的迷你神學院，茁壯成東南亞最大的神學院。

其實他自己的生活卻很困難。當時教會貧窮，獻金很少，神學院的財務困難，他的謝禮當然也很微薄。黃牧師在庭院養羊，供子女飲用。黃牧師養羊很有一套，又擅長種菜、種花，宿舍前後四季花開。教書工作餘暇，他就忙著養羊、種菜、種花。

他不只在台南神學院如此做，旅居英國時期，就已經擅於園藝農務。他在英國的住家很寬敞，幾百坪的前庭，整理得很漂亮；各式花草，各種蔬菜，生活所需，根本無須向外採買。

他很關心各地年輕人的聚會。當時交通很不便利，外出靠步行或腳踏車，從台南到關廟，或是到左鎮，往往要騎一、兩個鐘頭，路況又差。但他不畏辛苦，他很高興跟青年做朋友，幫助青年的信仰，有人邀請，若時間方便，他就跨上腳踏車，再遠都去。

溫馨親切的自由校風

安慕理牧師（Rev. Borris Anderson）也令我印象深刻，他是英國人，時爲副院長。他用台灣話教聖經釋義，教學認眞，講課的每一句話都寫成講義。著名的彌迪理牧師（Rev. Daniel Beeby），則教我們系統神學、教義學、基督教倫理、舊約神學。

彌牧師是很有趣的人，精通台灣話，甚至也會講流氓說的那種話，出口常常令人大吃一驚。他講義內容豐富又有趣，大家都很期待聽課。他深知台灣人盼望獨立、期待民主的心情，也很關心和幫忙這方面的事情。當時仍屬戒嚴和白色恐怖時代，大家不太敢涉及政治議題；但他從那時開始，就與台灣低階層的人、受苦的人，常有交往。

另外還有一位 McTabish 教授，也令我印象深刻。他出身英國貴族，是位學識淵博的神學家；擅彈鋼琴，是很出色的音樂家，常應邀在音樂會或慶祝會演奏。牧師夫人是著名的芭蕾舞者，兩人因深愛而結合，但是有人反對「牧師娶芭蕾舞者」。他之所以來台灣，有一部分原因是他的婚姻不太被諒解。

結婚以後，夫人沒再跳舞，只在教會教女青年，如何以芭蕾舞敘述聖經故

高俊明（右五）的畢業照。中立者即黃彰輝院長。

事。慶祝會或畢業晚會，McTabish彈琴，夫人跳芭蕾舞，令人印象深刻。他們倆常常在校園內散步，育有子女後，兩人依舊親密如昔，每天在音樂聲中用餐。用餐時，靈感一來，兩人手牽手，立即站起來跳舞；跳一跳，又坐下去吃，吃一吃，又站起來跳一跳。那種夫妻生活，讓我們神學生眼界大開，耳目一新。

離開神學院後，他去非洲傳教，因病過世。夫人繼續在國際性教會聚會帶領學生跳芭蕾舞，或受邀在國際聚會以芭蕾舞或現代舞詮釋聖經的教義。

回想神學院的生活，基調是自由開放的，和老師親密交往，與朋友誠摯討論，氣氛溫馨。我們那一班十二名同學，大部分是牧師的兒子，少數來自醫生家庭。盧恩盛、陳希信、卓榮祥、方尊榮是牧師之子；陳效贊的父親陳金然牧師既牧

神學生高俊明。

會，也任教於台南神學院；黃安輝是黃彰輝牧師的弟弟，我來自醫生的家庭。

女同學方面，李孋婝後來留學英國、美國和日本，獲得教育方面的博士學位，返台任教台南神學院；黃淑惠是黃彰輝牧師的妹妹，現旅居加拿大，也是教會長老。黃錦衣是醫生之女，現居美國，很認眞做教會的工作。另外是彭靜淑，彭明敏先生的親戚，醫生之女；日後爲了台中黎巴嫩山莊的建設，付出她的精神和生命，幾年前過世。

學弟楊啓壽牧師，來自普通家庭。哥哥是醫生，也是家族第一個信主的；楊啓壽經過一段時間的追求、懷疑、掙扎，才加入教會，成爲一個熱心的青年，並就讀神學院，日後並歷任玉山神學院院長、台灣基督長老教會總會總幹事。

台灣的長老教會，在南北合一之前，有北部大會與南部大會，在我們的時代，差別仍然很明顯。北部大會，禮拜天只做一次禮拜，南部大會則是早上和下午兩次禮拜。比較大的差別，屬於抽象層次，比方說教會的氣氛，或是神學院老師的氣質，或是校風的不同。

就讀台南神學院的，大多是南部人，也有少數南部人到台北讀台灣神學

台南神學院古色古香的校舍。

院。他們對神學院的選擇，大多是基督徒的父親提供意見，或是學生自己比較，再參考自己所認識的老師或朋友的意見，或是依教育的風氣來決定。

台灣神學院原本位於中山北路雙連教會旁，如今的台泥大樓現址。因地處台北市精華區，校地較窄，孫雅各牧師擔任院長時代，遷校至草山仰德大道現址，是一所很美麗的學校。

教會實習

岡仔林教會地處荒僻，離部落很遠，
黑漆漆的夜晚，我一個人睡在剛死去的牧師的床上。
當地蠻荒未闢，蛇類出沒；
有時早上醒來，低頭一看，床底下有蛇，
好像也正睡醒，一扭一扭鑽出屋外。

就讀台南神學院時，除了上課，每年暑假，要赴教會實習一個月。各地教會寄申請書來，說明其欠缺和需求；學校再依教會情形，指派學生前往。

一年級暑假，我被派去草屯教會實習。草屯教會的牧師郭朝成，是一位勤儉出名的老牧師；他的理財學和經濟學，非常具體。他常說，買菜不要只買一點點，要大量買才便宜。比方說蘿蔔，要買就買很多，醃起來，慢慢吃；不要買貴的，因爲最便宜的蔬菜，就是最當令的，最新鮮、最好吃；買魚或肉，不用太早去買；黃昏時，商家快收攤了，再去買，價格好商量。遵此原

則，無須花太多錢，每天都有美而廉的菜色。口渴時，不要喝汽水或飲料，喝水就好。

他牧會認眞，待人有禮，勤於探訪會友傳福音。我在他的教會，主持主日學，教夏季學校，與他相處，學習到很多。

夏季學校有課本，是當時北部大會或南部大會出版的夏季學校課本，有聖經章節，也有囝仔歌。第一天教什麼，第二天教什麼，課程進度和內容，一應俱全。對我們這種菜鳥，依課本進度操練即可，不算太難。我還記得當時的主日學學生當中，有一個小朋友徐榮州，現在當牧師，在台北牧會；另外還有一個小姑娘，如今成了女牧師，在沖繩當傳教士。

我在草屯教會實習時，寄住在洪醫生家裡，受到很好的款待。在那裡，我認識他的女婿陳佳音。此人非常多才多藝，經營寫眞館，本身又是體操選手，開班授徒教舉重、雙環、單槓和體育；日治時代，還獲選參加奧林匹克運動會，因二次大戰爆發而取消。他既是世界級的運動選手，也是聲樂家，擅唱歌劇和世界名曲，聲音渾厚響亮，令人難忘。

二年級時，我被派去鳳山。當時鳳山教會洪牧師，身材高大壯碩，不曉得爲什麼，臥病不起，好像很嚴重。禮拜天和禮拜三的祈禱會等，只得由我打

理，對一個實習生而言，屬於較重的任務。

三年級時，我被派去關仔嶺，也曾派往台南中會的岡仔林（在台南左鎮），深山裡的教會，係平埔族地區。當時我不了解平埔族是什麼，不了解山地傳教的意義，也不十分了解祖父高長擔任初代傳教師時，曾在那裡牧會，祖母朱鶯即於岡仔林牧會時期去世。祖孫三代，幾十年後，命運的牽絲帶線，竟然牽引我走上祖父的老路。

岡仔林教會地處荒僻，前任牧師潘道榮牧師，聰明優秀，對兒童教育、主日學教育，很有貢獻，但不知何故，跌入溪澗，竟淹死了。沒多久，我住進他的牧師宿舍。宿舍和教會離部落很遠，黑漆漆的夜晚，我一個人睡在剛死去的牧師床上，心情上不怎麼平安。加上當地蠻荒未闢，人跡罕見，蛇類出沒；有時早上醒來，低頭一看，床底下有蛇，好像也正睡醒，一扭一扭鑽出屋外。

除了主日學，我常常要出遠門拜訪會友。印象最深的一次，是長老邀我去探訪一位住得最僻遠的會友，沿途要涉好幾條溪流。當時物資缺乏，我只有一雙皮鞋，沒有運動鞋。心想，要涉溪水、攀岩石，還要上山下山，穿鞋脫鞋很麻煩，也很捨不得，決定打赤腳。結果來回三、四個小時的路程，腳掌

都起水泡和瘀血。與我同行的長老，看到我在洗腳，雙腳傷痕，趕忙幫我上藥。

即使如此，在那裡的實習生活，也很快樂、很溫暖。主日學學生，和很多青年，不辭路遠，踴躍參加夏季學校，在主的殿堂，大家真心相待。實習結束，離開的時候，學生流眼淚，依依不捨相送。深山裡，很難得有神學生來教堂帶領他們接近上帝。

幾年前，我應邀赴台北市艋舺教會講道，一位婦人向我問安。原來是當年岡仔林教會主日學學生，現在是艋舺松年大學的學生。如今我偶然還會遇到實習時的主日學學生。

山地傳道

我無論到哪個庄社，幾乎全庄社的人都到齊。聖詩和福音詩歌，朗朗上口，快樂吟詩，歌聲響徹山谷。我講聖經的道理，常常講到十一點，身心俱疲，他們還聽不厭倦，說：「老師，多講一點，多講一點。」庄社裡洋溢欣慕道理的熱烈氣氛。

許牧師感召　人生定方向

雖然就讀台南神學院，我從沒想到當牧師。多年來，心裡想的念的，一直是辦孤兒院，就是我少年托爾斯泰夢想的延續。

自幼即閱讀許多偉人的傳記，和慈善事業的記實；尤其是石井十次郎和George Muller的傳記和著作，更使我心生熱情，時時懷想和揣摩，如何疼惜孤兒、栽培弱小；若遇種種困難，應以祈禱、以信仰，依靠上帝來解決。我日思夜想的，都是諸如此類精神層面的追求，完全缺乏具體的藍圖。不比日

攝於屏東教會。前排左二即許有才牧師，前排右一是年輕的牧者高俊明，方才起步。

後擔任玉山神學院院長、長老教會總會總幹事，憂慮的都是如何解決財務問題，如何落實建設，如何處理迫在眉睫的困境。

我在辦孤兒院的夢想中，過了四年。畢業前幾天，屏東教會許有才牧師，時任台南神學院董事長，應邀向應屆畢業生講話。他的一席話，決定了我人生的方向。

屏東教會是南部的大教會，無論是對原住民的傳道，或教會的倍加運動，都是最負重任的教會。許牧師關心原住民，常進山區傳道理，被選爲山地傳道委員會的主席，也擔任過南部大會的議長，是一位人格高尚、受人尊敬的牧師。他在畢業典禮上，詳細報告原住民欣慕福音、但欠缺牧者的現況。

我彷彿聽見上帝的召喚。心想，如今已經有比較多人辦孤兒院了，但山地嚴重缺乏傳道人；上帝的旨意，是盼望我朝向少人行走的窄路，服侍少人服侍的羊群。

我決定赴原住民的山區巡迴傳道。應屆畢業生，只有我一人自願前往。

畢業第一年，我在屏東教會協助許有才牧師，做傳道和牧會的工作，每個禮拜固定研讀排灣族的語言，之後才能進入山地傳道理。對我而言，有一位資深而熱心的牧師在旁邊，一步一步關心、教導，獲益良多。許牧師牧會認

眞，勤於探訪；教會當時有兩、三百名會員，有誰遇見痛苦、有誰遇見歡喜，會友近況，他都很清楚。

許牧師也擅長經濟，當時的傳教者幾乎都有這種長處。因爲薪水低，生活清貧，必須開源節流，量入爲出。許牧師在教會庭院一角種綠竹，大清早起

高俊明自覺聽見上帝的召喚，要朝向少人行走的窄路，服侍少人服侍的羊群。

來整理竹子，讓它長更多的竹筍；他也擅長養蜂釀蜜，竹筍和蜂蜜成爲餐桌上常有的美味。

許牧師回憶，當初結婚，新婚之夜，他對牧師娘說：「很多夫婦到後來都變成相欠債，常常吵架，希望我們倆，莫吵架，努力相互疼惜，過一輩子。」牧師娘是個很安靜溫順的婦人，低聲說：「好。」

果眞如此，我與他們同住時，兩人結婚已三十幾年，仍然相親相愛。牧師娘個性恬淡安靜。牧師疼愛妻子，每天三餐，都想辦法談論有趣的話題，不論是讀書心得，或新聞記要，都自動講給牧師娘聽，讓她開心的笑。

牧師的兒子在外租地養雞，時而回牧師館探望。兒子像牧師娘，很文靜，很老實；媳婦人很老實，也沒有什麼話。飯桌上都是許牧師負責找話題說話。總之，吃飯時間很有趣，每餐都是這樣，不知道牧師從哪裡找到這麼多話題。牧師平常也很安靜、很溫柔，不是多話的人。但是他所講的，幽默有趣，很有意思，能讓人家從心底笑出來。

牧師娘身體欠佳，睡樓下臥房，牧師睡在二樓，我房間的隔壁。牧師常去探訪會友，或是開會，有時夜深才回來。木造樓梯，走起來窸窣響。我注意到，牧師爬樓梯時，唯恐吵醒牧師娘，都慢慢的，一步一步墊著腳尖走。

我與他共事同住一年多。每天晚上，同做家庭禮拜、讀聖經、祈禱，或陪他的孫子說話，家庭生活豐富平和。牧師娘很溫柔，牧師很體貼，兩人不曾大小聲，或是怎麼樣，那種相敬如賓的婚姻生活，變成一個模範。我認爲我很有福氣，有機會身歷其境，得到極佳的學習。

庄社傳福音　歌聲遍山谷

學了一年排灣話，我開始進入原住民山區傳福音。起初身體虛弱，走一、二十分鐘山路，就腳軟發抖，必得休息；操練一、兩年後，身體越來越強壯，越來越能走路。一天走五個小時、八個小時、十二個小時，都沒大礙，甚至比一般原住民青年腳程更快。

在我之前，屏東教會對原住民傳道，只有吳銅燦牧師和許有才牧師；與我同時的，則有黃素娥女傳道師。但她大部份駐在三地門教會，我則獨自進入原住民庄社開拓。過程中，當然有無法形容的種種艱辛，但很有成就感。言語不通時，基本上用華語勉強講，另有原住民青年居間翻譯，或是直接講日語。雖難免辭不達意，但仍因他們的熱忱，大致可解決溝通的問題。

當時無論到哪個庄社，幾乎全庄社的人都到齊。一來他們好奇「平地人長

高俊明（左一）於日月潭，與屏東教會何長老夫婦合影。

得什麼樣子？到底在講什麼？」加上原住民普遍有音樂天賦，學簡單的聖詩、福音詩歌，一會兒就會了。朗朗上口，快樂吟詩，歌聲響徹山谷。目睹那種熱忱，我當然很高興。我講述聖經的故事和道理，常常從晚上七、八點開始講，到十點、十一點，身心俱疲，他們還聽不厭倦，說：「老師，多講一點，多講一點。」半夜十二點，他們還沒有倦容，我已經累得不支，拜託他們：「我已經很疲勞了，休息了吧。」他們讓步，說：「好啦，好啦，明天早上五點再來聽。」庄社裡洋溢欣慕道理的熱烈氣氛。

在山區巡迴傳道時，我先是住屏東水門。水門等於山區之門，一出水門，就是高山峻嶺；過了山，就是原住民庄社。我在水門住了幾個月，自己洗衣煮飯，開辦野外主日學。那幾個月，小朋友越來越多，很喜歡聽我講故事，與我做朋友；沒多久，就在我租的房子聚會。透過主日學，我得以對水門的人傳福音；屏東聖歌隊也前來應援，舉行野外佈道。

當時的山地巡迴佈道，屬於先行和拓墾性質；各地教會有特別聚會時，會事先聯絡我，我就依計劃排行程，順便巡迴附近部落。那時一切都生疏：人生疏，語言生疏，山路更生疏。原住民部落通常派青年來帶領我，我自己是很沈默、很安靜的人，慢慢學習，講東講西的，在幾個小時的路途中，可以

向他們學很多。

完全不曾接觸信仰的處女地，更要靠周遭有基督徒的部落。初代基督徒信主之後，都有火熱的心，很願意分享福音，甚至主動要求我們，說：「某某地方有我的親戚朋友，他們的庄社還沒有基督徒，我們去吧。」他們先邀約四、五人，有時十幾個人一起去，到親友的家傳道理，又邀左右鄰居來聽。

我很感念原住民溫暖的心。無論到哪個庄社，無論識與不識，他們一定請我住最好的房間，吃最好的食物。雖因民生困乏，差不多餐餐都是蕃薯；但有的人家養雞，就殺雞待客；有的人家捉蝸牛，洗乾淨，炒一炒，也非常可口。原住民很樸素，卻把他們最好的物品款待我們。他們整天在山裡做工，身體疲憊，晚上仍然認眞聽道理。

有一次，我從水門騎腳踏車入山，途中遇大雨，全身淋得濕答答；而我的隨身袋裡，只有一套剛買的西式睡衣褲，其他都濕透了。禮拜即將開始，來不及晾乾，又怕穿濕衣服著涼，影響接下來的行程；不得已，只好換上睡衣，在木造的小教堂裡，點油燈講道理做夜間禮拜。

過了一段時日，我又去該部落。禮拜時，嚇一大跳，咦，很多信徒都穿睡衣褲來教會。自從上次我穿睡衣講道之後，他們以爲牧師和信徒都是穿那種

制服，也認爲很好看，於是集體採購買來穿。害我覺得非常不好意思。

傳道雖辛苦　回憶倍溫馨

我們以家庭爲開拓中心，漸漸成長，之後再搭蓋簡單的教會。原住民是很優秀又善良的民族，他們的信徒很誠實，誠心誠意追求信仰。三、四十年來，原住民的社會結構劇烈改變，但他們一直保有欣慕道理的心，即使移居平地工作，也都不忘先成立教會；教會成立之前，則借用平地教會，或是在信徒家中聚會。因此，早期寥寥無幾的教會，在一、二十年中持續成長，沒多久就加倍成長，如今已有五百多所長老教會的原住民教會。教會寬敞漂亮，好幾所比平地教會更高敞，更漂亮。

我也去過荒蕪之地，餐餐是蕃薯和芋頭乾。幸好戰時餓慣了，胃養壯了，吃什麼都不太瀉肚子。夜裡沒地方歇息，就睡在禮拜堂的講台，只蓋一件被單，有時拉兩張小椅湊成一張板凳，勉強躺著睡。老鼠跑來跑去，跳蚤跳來跳去，叮得我全身都腫了。經歷那種痛苦，對我日後坐牢，也是一種提前訓練。

巡迴傳道時，我不曾獨自前往沒約定的庄社。偶然在路邊歇息，有原住民

看到像我這樣的平地人，有時打招呼，問我要去哪裡；也曾有未信者說：「那我跟你們一起去。」有時和原住民青年同路，講道理，他後來變成基督徒，自己回部落傳福音。

後來有幾次，我認爲路途熟了，即使沒人帶路，也獨自一個人去傳道理。我不喜歡麻煩別人，如果自己有辦法，就一個人去赴約。

印象中最危險的一次，是我赴三地門教會巡迴，事先聽到颱風警報，山谷也漸漸颳起風。我想趕回水門，因爲颱風來襲，必須回去做防颱準備，以免租屋漏雨或毀損。

聚會結束時，已經黑天暗地了。下雨、颳風，眼前霧濛濛黑漆漆一片，走起來實在很危險；曲折的山徑，會不會崩塌，完全無法預期和躲避。從三地門教會回程，途經深谷，懸著一條破舊的吊橋。走上橋面，才發現橋面的木板已經半毀，空了幾格；風雨很大，嗖嗖叫，橫越吊橋，形同搏命演出。但已無法回頭，只好輕輕踩，慢慢走，走完吊橋，如惡夢一場，根本不敢回頭望，不敢回頭想。

在山地的巡迴傳道，雖有危險艱苦，如今回憶之餘，只留歡欣和愉快。

珍貴的見證

林金株坐牢時，一晚，夢見一個穿白衣服的人，站在面前告訴他：「你要追求真理！」出獄後，他回到庄社，有機會聽到福音，回想獄中的神啓，終於成為熱心的傳教者，自己砍材劈木，蓋教會，開始傳道理。

震撼人心的福音見證

我巡迴的教區，包括屏東縣和高雄縣；屏東的原住民是排灣族，高雄是布農族，語言完全不一樣，但欣慕福音的熱忱，都讓人很感動。

屏東縣和高雄縣都屬於高雄中會，所以，屏東教會也會邀請高雄縣的原住民來參加講習會，我因此得到很多好見證。高雄縣三民鄉有一個馬雅圳庄社，族裡有一位小姐，名叫林桂花，來屏東教會參加縫紉講習會。她不僅學到縫紉技巧，還得到福音。講習會結束，她拿了一本《新約聖經》和幾張傳

單，想傳福音給同庄社的族人。

依布農族習俗，小姐不能隨便出門去講東講西的，於是她先向自己的哥哥林永富傳福音。林永富是該地區的警察，起先無法理解，說哪有這種道理？但漸漸深受感召，開始研讀《新約聖經》，終於成爲一個很熱心的基督徒。

林永富一邊當警察，一邊出去傳道理，多年後自力興建一間教會。日後當上鄉長，繼續獻身，赴花蓮鯉魚潭就讀玉山神學院特別科，受訓後，成爲牧師。玉山神學院當時曾特別爲這些年紀稍大的人開訓練課程。從林桂花開始，小小的一粒芥菜籽，遍地盛開，三民鄉目前已有六、七間教會。

三民鄉還有一位林金株長老，戰後擔任原住民的省議員，是一位很有正義感的人。隔壁某鄉鄉長，貪財貪色，非常霸道，仗勢漁肉鄉民。比如說你豬圈的豬，養得很肥壯漂亮，他說：「我買了。」價格自訂，根本不讓人家說價錢。到庄社看到漂亮的女孩子，就說：「晚上妳要跟我睡。」鄉民對鄉長非常反感，但無人敢反抗。

林金株得知這些劣蹟，非常憤慨，便邀集幾個青年，拿獵槍，某時某日要暗殺他。他們事先摸熟鄉長的行蹤，依計劃，第一個青年埋伏某處，看到鄉長就開槍；第一人如果沒打中，第二個人就開槍。林金株安排了幾個人在

前，他自己殿後。結果，鄉長和隨從如期經過，第一個青年不敢打，第二個也不敢打，林金株於是站出來，一槍把鄉長打死，並對其他隨從說：「我不殺你們，我馬上要去自首。」

他因殺人罪被判刑，但每個鄉人都支持他，替他求情，說：「林金株是爲了鄉民的福氣，才除掉這個暴君。」警察和法院也知內情，很優待他，沒有判太重的刑罰。

林金株坐牢時，有一天晚上，夢見一個穿白衣服的人，站在面前，告訴他：「你要追求眞理！」林金株不知道穿白衣服的人是誰，也不知道眞理是什麼，但出獄後，一直忘不掉這件事情。他回到自己的庄社，有機會聽到基督教的福音，回想獄中的神啓，終於成爲熱心的慕道友，繼而成爲虔誠的基督徒，最後成爲積極的傳教者；自己砍材劈木，自己蓋簡單的教會，開始傳道理。

這個故事，是林金株本人告訴我的。我在山區遇見他幾次，他體格很好，有明顯的英雄氣概。我在原住民社區傳福音，很幸運遇見類似這樣令人震撼的傳奇。

深入體會原住民文化

還有一次，我前往恆春附近的牡丹鄉，去開拓傳道。當地還沒有人聽過道理，所以我專程去那裡。傳完道理，再趕赴另外一個新的原住民移民地：旭海。從牡丹鄉到旭海，山路曲折複雜，我隨原住民青年爬山，之後還要蜿蜒下山。仗著多年訓練，身體強壯，身手矯捷，腳程越走越快，即使在很陡的山路，我也跳來躍去。結果在一個轉彎處，沒跳好，腳扭傷，血瘀在裡面，腳很快就腫起來，非常疼痛。那青年馬上砍一枝柴，讓我當拐杖，拄著走。

我向來守時，一心只惦記著約定的時間。雖然腳傷，仍繼續忍痛走路，未曾稍歇。到了旭海，原住民果眞已經聚集，等著聽福音。我講完道理，吃完飯，又得趕赴牡丹鄉的教會，心中更是著急，因爲腳已經腫得沒辦法走了。我慢慢攀爬，從山谷攀上山路，確知已經沒辦法走了，只好跟那青年說：「在這裡休息一下。」那青年見狀，趕快去路邊草叢裡找藥草，咬一咬，嚼一嚼，把藥草末貼在我的腳上。我覺得舒服些，但腫痛未消。

這時有一個青年駛牛車經過，看到我們呆坐那裡，問說：「怎麼樣了？」青年就跟他解釋腳傷的情形。他立刻說他會醫治，就蹲下來，舉起我受傷的腳，根本不在意我那沾滿塵沙的傷腳，直接把嘴巴對準傷處，往腫漲的瘀血

大力吸吮。吸完血後，就吐出來，吸完血後，又吐出來。我覺得腫漲好像一直消下去，雖然還是很痛，卻舒緩多了。他說：「我剛好要去牡丹鄉，可順道載你。」於是他用牛車載我赴約。晚上就住在那個地方，傳福音。

隔天早上，我向當地住民辭行，他們還借我腳踏車。他們說，一路下坡，你騎到山腰旁，有一間草寮，腳踏車放在那裡即可。我聽言，騎腳踏車下去，放在那裡，然後回屏東的住處。

那件事情讓我感受到原住民的溫暖和智慧。在山裡生活，有生活的智慧。受傷，有藥草可摘；遇事，有方法解決。文化和智慧，不外乎如此：減少痛苦和增加快樂。我領悟，現代人有現代人的智慧，原住民也有原住民的智慧。我們的語言，複雜豐富，有許多他們無法表達的詞彙；他們的語言，特別是風俗習慣的部分，也有很多是我們無法表達的。所以文化沒有高低之別，每一族的文化都值得尊重；每一個族群，都有完整的尊嚴、特別的價值，不能看輕。

多年來，我從單純、誠實、熱情的原住民身上，學習到很多課題。三、四年的巡迴傳道，或是後來在玉山神學院十三年，寒暑假，常常到原住民的庄社傳道理。我不曾看到原住民夫婦吵架，也不曾聽到他們大小聲罵孩子。他

們也有孤兒，但孤兒一定有親戚照顧。我問他們：「假設這些孤兒都沒有親戚照顧，最後會是誰負責？」他們說，最後是頭目負責。他們的社會，也有自足的制度。

對原住民，我們不只要有疼惜心，還要有敬愛心，不能擺出高高在上的姿態，說：「我們文明比較高，比較有學問，我們照顧你們。」這一點是我在山地學到的，必須摒除那種傲慢與偏見。

山地傳道被政府刁難

由於語言能力差，我終究沒能學好排灣話，只能以排灣話讀聖詩和歌詠福音詩歌；講聖經的故事或是傳道理，都要用華語。當時四、五十歲的原住民，比較聽得懂日本話，年輕人才聽得懂華語。山地庄社駐有外省阿兵哥，禁止說日本話。管制嚴格的地方，我就用華語；如果當地人覺得軍民相熟，講日本話不要緊，我就用日本話講道理。

傳道時，有幾句話他們無法即刻的貼切翻譯，因為我曾經在別處使用過，還記得幾句排灣話的單字，就自兼翻譯，用他們的話來解釋。只要這幾句話，他們就覺得很親密，彼此不再隔閡。

政府嚴密控制山區，我們入山傳道，都要申請入山證。申請時，也遭遇種種麻煩和刁難，要求寫明傳道主題、內容概要；有些管制沒那麼嚴格的，只看證件齊不齊全。當時長老教會總會尚未發表三次聲明，政府控制歸控制，注意歸注意，我們入山，還算沒有大礙。發表三次聲明之後，進入原住民的部落，就非常困難了。

我擔任總會總幹事時，代表教會發表種種聲明，發起「十一增長」運動，樣樣使政府不高興。有一次，我受邀到新竹的客家教會，介紹「十一增長」，他們也派一對高階公務員夫婦到教會監視。政府誤以為「十一增長」，就是我們要跟中共妥協，「十一」意指十月初一，中共國慶日。他們望文生義，胡亂解釋，就說這個運動很危險。

其實根本不然。所謂的十一增長，是指每年朝十分之一的成長目標增加信徒人數，十年後完成這個大目標；每個基督徒帶引一個人，就是「十一增長」的具體方法。

有一次到台東延平鄉的延平教會，屬於布農族。我去講道時，情治單位從台東調集好幾十個警察，包圍延平教會。聚會開始，他們就一直照相。這些便衣或制服警察，當我們是江洋大盜，準備逮捕到案。整個教會坐得滿滿

的，又站得滿滿的，加上外面層層監視的警察，盛況空前。

聚會結束，我覺得應該對他們說明清楚，就直接走去派出所。警察看我過去，很緊張，趕快跑到派出所報告主管，主管也很緊張，快步趕出來。

我向他說明來意，解釋「十一增長」的意思，和教會事工的內容，還有教會發表的聲明，聲明的基本原則是什麼。我說，我們反對共產主義，我們要在自由、民主、公義的原則下生活，促進族群的和諧，不要有外省人、本省人、原住民、平地人的分別。經濟方面，我們主張均富，每個人都是有錢人。現在有錢人的錢那麼多，而貧窮的人那麼窮，這不是健全的社會；所以我們主張民主主義，大家都平等。

他聽了，說：「你所說的，和我們的立場很像，爲什麼上面這麼緊張？」

第4部 牧師娘之歌

二二八事件對我母親的娘家而言，
是一個血淋淋的印記。
她們四姐妹，除了大姨沒有兒子，
其他三姐妹每人都死了一個兒子，其中兩人還是獨子。
母親對哥哥的死去，一直無法釋懷。
雖然此後幾十年之間，
我們禁忌般閉口不提二二八這三個字，
但我們非常確知，
她不曾、也不能忘記那段恐怖的歲月。

五個母親

——高李麗珍自述

我常說，我生命中有五個母親：
一個生母，兩個養母，一個袁姑娘，
另一個是高牧師的母親，我的婆婆。
我的福份多，母親也多；或許是母親多，福份也多。

我們不要去看別人吃

我的家世有些複雜。

我的外祖父陳影，屏東溪洲人，初代基督徒，與台南高家的高篤行牧師，是中學同學。外祖父學醫，在屏東竹仔腳和溪洲一帶行醫。他與外祖母育有五女一子，我母親是四女。外祖母去世後，外祖父再娶。兩年後，流行病起，外祖父時常出診，疲憊過度，染病去世。再娶的外祖母尚未生育，回娘家再嫁。外祖父的財產，很快就被親戚朋友騙光敗光了。留下人海孤雛，獨

力過活。外曾祖母疼惜他們，有時供應食物和所需。

大姨陳金梅原本就讀長榮女中，外祖父過世後，被迫輟學，返回屏東老家照料弟妹；么妹年紀太小，送人撫養，大姨一人帶弟弟妹妹過日子。她才十幾歲，但成熟能幹。每天帶弟弟妹妹做家庭禮拜，禮拜天走遠路去教會，一邊走，一邊背誦聖經章節；回程時再考問：「今天牧師講些什麼？」幾個小孩永遠像一串粽子，緊緊相連。

逢年過節，大姨把門緊閉，把弟妹關在房內，唯恐他們看見別人家大魚大肉，忍不住羨慕。幾個小孩關在房內，相互勉勵：「我們不要去看別人吃，我們不要去看別人吃……」

姐弟五人辛苦長大。多年後，大舅陳興旺成了拳頭師父，因婚姻不美滿，前往中國廈門發展；二姨陳金鑾，嫁楊金捆傳道師，曾任職太平境教會；三姨陳金絨嫁給江和榮，教師，也是台灣文化協會成員，政治上很活躍；因受日本政府迫害，舉家遷往廈門。

我母親陳金杏年紀最小，就讀長榮女中時，大姨結婚，就把我母親一同帶過去。大姨嫁給傳教者李識情，沒有生育，領養一男孩。

我父親許水露，嘉義民雄新庄仔人，民前八年出生。畢業於台南神學院，

先後於集集教會、旗後（即今旗津）教會、彰化教會、斗六教會、台北延平教會、台北中正教會牧會，在教會界很活躍。

母親育有十一個子女，我排行第三。剛出生時，母親和我生病住院，我病癒後，母親尚未出院。大姨捨不得我，就抱回去養，越養越愛，更不願意還了。她對父親說：「你有三個孩子，這一個給我。」父親不肯，說：「再多也是我自己的孩子。」母親視大姨如母，說：「大姐一手帶大我，女兒給她，她也會疼惜，不要緊。」於是我從小就去了大姨家，並且隨他們姓李。

養父李識情是關仔嶺人，先後於斗六、澎湖、民雄、小琉球、林邊等教會牧會，並於關仔嶺教會牧會十年。因教會貧窮，信徒少，根本付不起謝禮；為了生活，養父常回白河林仔內取糧，曾有一陣子還在林仔內耕作。我還記得常和養父揹著柚子、稻米等農作物，往返於林仔內和關仔嶺。

我雖是養女，哥哥常作弄我，打我，但養父母確實很疼惜、很照顧。童年的生活印象，就是赤腳撿柴、摘鵝仔菜餵鵝、採地瓜葉餵豬，爬上果樹採果子。養父母說，如果沒見到我，就往樹上找。

有一次我和鄰居小朋友去竹仔山撿柴，越撿越多，就越往深山走；直到夜晚，月亮出來了，我們還在山裡流連，遠遠聽見養父母在莊尾，高聲呼喚我

長榮女中八十周年校慶。前排右一是侯全成夫人侯邱彩雲；右三是校友會董事長高侯青蓮，右四是李林宇，高李麗珍之養父李識情之母，乃長榮女中第一屆畢業生，活至102歲。

的名字。這是遠逝的田園牧歌式的童年往事。

我這個女兒要獻給主

戰爭結束後次年，我讀初三，養母去世。三姨夫婦早歲赴廈門，三姨丈因病去世，留一遺腹子江雲華，三姨攜子返台，孤兒寡婦無以維生。我母親幫她扶養兒子，讓她去讀助產士學校，學得一技之長後，到醫院工作，獨力撫孤。

二二八事件時，江雲華罹難，三姨哀痛不已。當時養父在關仔嶺教會牧會，祖母李林宇認爲傳道者不能沒有賢內助，就對養父說：「你們姐夫和小姨子倆，一個死了妻子，一個沒了丈夫，家庭不成家庭，子女乏人照顧，乾脆結婚吧。」

於是三姨再嫁給養父，變成我的新養母。母親的四姐妹，原本三人嫁給傳教者，只有三姨不是，但後來再嫁給大姨丈，終究也成爲傳教者的妻子。

我出生於一九三二年，從小與養父母一起生活。他們在林仔內耕農時，我在白河竹仔門公學校讀書至三年級。後來養父母往關仔嶺牧會，我也轉學到關仔嶺，讀完公學校；因戰爭的緣故，暫時讀白河高等科。每天清早從關仔嶺搭車赴白河，一早摸黑去，夜裡才返回，再加上嚴重暈車，不太撐得下去。在學校沒有上課，只做剝蓖麻、堆肥等工作，一有空襲就躲轟炸。主客觀條件都不太能好好讀書。

戰後，爲了就讀初中，因爲生父大都在都會區工作，我返回生父母處，也隨著他們搬家換學校，先後就讀省立高雄女中和省立彰化女中。寒暑假再回養父母家。

養父母平素生活勤儉，爲了供我讀書，學校註冊時，卻不惜賣豬張羅學費。養母從不因我是從許家領養來的女兒，而要許家負擔學費；她說，麗珍是李家的孩子。有人勸她：「讓麗珍去工作，賺錢貼補家用。」養母不肯，她堅持盡自己的職責，說：「我這個女兒要獻給主，所以我要讓她受教育。」

我住彰化時，認識了挪威籍靈恩教派的女宣教師袁姑娘，Miss Kirsten Hagen，長我十一歲，是一位終身獻給上主的宣教師，正準備赴日本傳教。她對生父和養父說：「我帶你的兩個女兒去日本讀書，與我同住同食同進同

李麗珍（左二）、麗娟（左一）姐妹留學日本期間，開英語班，傳上帝道理，與當地小孩密切相處。

生父許水露牧師赴日探望女兒麗珍（左一）和麗娟。

挪威籍的宣教師袁姑娘。

出。」親戚反對，說：「人家都去美國讀書，怎麼有人去戰敗國？」父親說，美國太遠，沒人照顧，不放心；袁姑娘是很好的朋友，可安心托她。於是父親負責妹妹麗娟的學費，養父負責我的學費。我與妹妹就一起遠赴日本，到名古屋金城學院高中部就讀，畢業後再讀金城學院二年制短期大學，主修英語。

六年中，我們三人在異國相依爲命，情同母女；在知識和信仰上，努力追求。課餘，我與袁姑娘相約下鄉傳教，我擔任日語翻譯。當時我認爲，自己會走上爲主獻身的路，並立志效法袁姑娘，獨身終老，以求全力爲主做工。

後來養父生病，我返台照料，他於一九五五年五月一日去世於雲林縣林內教會牧會中，享年六十三歲。

我常說，我生命中有五個母親：一個生母，兩個養母，一個袁姑娘，另一個是高牧師的母親，我的婆婆。我的福份多，母親也多；或許是母親多，福份也多。

二二八事件

——高李麗珍自述

母親哀痛逾恆。她思念兒子，每天關在他的房間裡，流淚、祈禱、整理遺物。

二二八事件對我母親的娘家而言，是一個血淋淋的印記。她們四姐妹，除了大姨沒有兒子，其他三姐妹每人都死了一個兒子，其中兩人還是獨子。

大哥的最後印象

我的生父許水露牧師，日治末期在高雄旗後（今旗津）教會牧會，常與外國宣教師一起辦活動，舉行音樂會、佈道會等，深受日本軍方的側目。旗後教會背後臨海，鄰近日軍司令部，是一棟三層樓的建築。戰況日益慘烈，會友常來教會祈禱。有一位洪醫師娘，眼睛不太好，點蠟燭照明扶階上

樓。當時燈火管制，雖有窗簾，微光仍滲透出簾縫。日本軍方觀察很久，疑心這教會圖謀不軌，樓中必有無線電、照相機等秘密通訊工具，也懷疑父親居中與美軍聯絡。有一天晚上，軍方突然撞門，強行把父親蒙面押走；第二天又來家中搜索所謂的無線電和照相機，當然沒有搜索到什麼証物。

我們不知道父親被押往何方。母親帶著五妹靜娟到處找，到各派出所、各個可能的地方找尋，以便送衣服和食物，但都沒找到父親的行蹤。牧師失蹤，禮拜天到了，母親代理牧師職務，上台主持禮拜和主日學。在憂慮和尋覓中，過了四個月，父親才被釋放。

父母親育有十一個子女，大哥許宗哲是獨子。父親被關時，由於旗後是重要軍區，警察常來驅趕我們到鄉間疏散。當時大姐、大哥正就讀長榮女中和長榮中學，兩人商議，決定舉家疏散回父親嘉義民雄的老家，以便失蹤的父親恢復自由時，能循線找到我們。疏開後一星期，美軍砲擊旗後，炸毀平常母親和妹妹們藏身的防空壕。殘片飛上禮拜堂三樓，卡入屋頂。如果她們沒走，大概就喪命了。

戰後，父親擔任高雄市政府社會科科長，後又擔任鼓山區副區長。一九四七年，二二八事件烽火蔓延到高雄。三月六日，我和妹妹兩人放學回家，路

上看到大人三三兩兩交頭接耳，不知討論何事。大哥當時就讀高雄中學高中一年級，可能聽到什麼風聲，一回家，就檢視家裡有無糧食，略事整理，說要出門買罐頭、蕃薯等等，以備不時之需。母親正臥病在床，大哥又問：「還有沒有藥？」看一看，說要出去幫她拿藥，就出去了。從此再也沒有回家。

愛河屍堆尋親人

當天晚上，左鄰右舍吵雜喧鬧，各種聲音都有。之後就是掃射的聲音。我們不敢燒水，怕有火苗，成為軍隊掃射的目標。小妹妹還在喝牛奶階段，沒有熱開水，只能餓著乾等。次日，情勢略略平靜，母親叫我出去買醬油。出門一看，滿街都是阿兵哥荷槍而立，市區宛如死城。我匆匆買完醬油，匆匆回家，不敢多逗留一刻。

我家住壽山腳下的田町，離鼓山區公所不遠，也離司令部不遠，在掃射範圍內。父親當晚沒能回家，他東躲西躲，沿牆邊暗處慢慢繞道而走，隔天才抵家門。他之所以急著回來，是因夜裡聽到大哥喊他。父親心生不祥。但他回來時，也看不見大哥了。此時，阿兵哥正挨家挨戶搜索，看到男子就拖出

1997年與外甥女林雅卿攝於台北二二八紀念館。
身後展示的照片，即當年罹難的家族。左起：生母陳金杏和兒子許宗哲、三姨陳金絨和兒子江雲華、二姨陳金鑾和兒子楊榮洲。

去。父親每天都躲在榻榻米底下，不敢露面。即使後來尋回大哥屍體，父親也無法出面認親屍。

事件過後，前金教會的李幫助牧師，申請紅十字會的旗幟，舉旗上街遍尋，看屍橫遍野的馬路和港口，還有沒有奄奄一息、等待急救的垂危者。李牧師約林啓三醫師的女兒林雅卿，一起到愛河邊堆積屍體的地方搜尋，她發現我表哥江雲華的屍體，也就是我三姨的獨子，於是接三姨去收殮。

過了幾天，又找到我哥哥許宗哲的屍體。哥哥身上穿著一件李牧師送的美援背心，臉上覆著一條白手巾。李牧師趕緊通知我的家人。父親當時還不方便出門，母親生病身體虛弱，由姐姐扶她去，叫我在家照顧妹妹。母親事後說，愛河邊的屍體，不知從何處拖來的，一堆一堆集中放置。母親見到大哥，臉上白手巾一掀，大哥馬上流出鼻血。

母親和姐姐去認屍時，赫然又發現二姨的兒子楊榮

二二八三個字，成了高李麗珍娘家的死亡印記。

洲。日治時代，表哥被徵調去南洋當軍伕，戰後返台；爲了工作，從家鄉到高雄，借住三姨家。表兄弟倆可能一同出門，一併罹難。三人死時，都很年輕。我哥哥許宗哲十六歲、表哥江雲華十八歲、表哥楊榮洲二十一歲。

前金教會爲二二八事件罹難的六青年舉行告別式。我們從鼓山的家中出發，夜裡慢慢的走，靜靜的走，赴教會參加一場偷偷舉行的告別式。除了家人，沒有人敢參加；除了哀傷，更多的是恐怖，沒有人能告訴我們，接下來的日子會是怎麼樣。

上主擦去她的淚

母親哀痛逾恆。她思念兒子，每天把自己關在哥哥的房間裡，流淚、彈風琴、吟詩、祈禱，並整理哥哥遺物。抽屜裡有個盒子，裝了十片指甲，寫了一些詩句。詩中的意思大抵是夜間仰望星辰，嚮往天家，彷彿自知生命並不久長。

母親對哥哥死去，一直無法釋懷。雖然此後幾十年之間，我們禁忌般閉口不提二二八這三個字，但我們非常確知，她不曾、也不能忘記那段恐怖的歲月。一九九一年二二八關懷聯合會成立時，我打電話到美國告訴她，她只輕

輕的說：「喔，是這樣嗎？」但也不想再講。一九九二年她返台參加國家音樂廳的二二八紀念音樂會，蒙總統李登輝握手安慰，她的心情似乎較為舒緩。

三姨落淚不止，哭得眼睛幾乎失明。她人生的路太坎坷，丈夫早逝，帶著獨子生活，未成年就慘死。她天天哭，直到有一天，夢見表哥在天堂，拿些筆，要她分給學生，此後她才心安，不再哭泣。上主擦去了她的眼淚。之後她再嫁我養父，成了我的新養母。我結婚後，她來與我同住，直到一九九四年蒙主寵召，享年九十歲。

二二八事件對我母親的娘家而言，是一個血淋淋的印記。她們四姐妹，除了大姨沒有兒子，其他三姐妹每人都死了一個兒子，其中兩人還是獨子。我們完全不知道哥哥想些什麼，做些什麼。多年後，我聽哥哥的同學詩豪兄提起，高雄中學的學生有組織，準備有所行動，約好某天到他家，一起去學校。他一直等一直等，哥哥都沒出現。事實上，哥哥前一晚出門後，再也沒回來了。

我也曾聽德國的趙有源牧師提起，他也是哥哥的同學：當晚，衝突方起，槍聲初響，他和哥哥分頭逃跑。之後，他就不清楚哥哥的行蹤了……

關仔嶺之戀

——高李麗珍自述

論及婚嫁時，高牧師向我告白他的青春記錄：交過什麼朋友，做過什麼事情，有過什麼感情，一一交代清楚；並再三說明山上生活的種種艱辛，再三問我：「像我這種人，妳敢嫁嗎？」他說我應該再考慮清楚。我倆的婚姻，不出於浪漫，不始於愛情，比較像是使命感的結合。

求主帶路　遇見高牧師

一九五一年赴日本後，我一邊上學，一邊陪伴挪威袁姑娘下鄉，她用英語講道，我翻譯成日語。感情上她好比我的母親，信仰上她形同我的典範。我決心像她那樣，一輩子獨身傳福音，大學畢業後，我計畫繼續讀神學院。

但因養父生病，我回台灣探望他。養父在林內教會牧會，臥病不起。教會的長執會希望我留下來代替養父牧會，但我一心想回日本，返回我已定的方向。養母很著急，希望我別再離家，因此四處幫我找親事。

一九五五年，養父去世，我再度回日本。因錯過開學時間，無法入學，便

高李麗珍在金城學院大學部畢業照。

繼續幫袁姑娘翻譯傳福音。養母不曾停止幫我找對象，好讓我返台與家人團聚。爲此，她常常寫信給我，吩咐我做這做那。

養父別世後，家內寂寥，養母更顯得老了，我放心不下爲人子女的責任。我不太確定是否終身不嫁，我只確定我必須奉獻給主，看主怎麼帶路。或許可以當牧師，或者當牧師娘；袁姑娘說：「如果妳要結婚，就先別讀神學院。」

養母幫我看了幾門親事，囑咐我與對方先通信。不知道爲什麼，通幾封信之後，我往往就放棄交往了。這樣的日子大約兩年，我告訴母親，如果一定要結婚，我有一個條件：「對方必須是牧師或傳教者，而且必須在山地傳道。」

在日本時，我們都往鄉下開拓傳道，我很喜歡鄉間的單純樸實。如果牧會，我寧可在小教會、在艱苦的原住民教會，不要大教會。我自幼隨養父牧會，大小教會都待過。大教會人情世故比較複雜，牧師也漸漸朝議長等名、勢、地位發展。

養父生病時，我返家照料。隔壁村莊，二水教會陳思聰牧師，是養父的妹婿，要我去幫忙，說有原住民赴二水做禮拜，希望我能前往翻譯。我當然樂

高俊明的相親照，頭髮茂盛。

意幫忙。

禮拜時，牧師說台語，我翻成日語；吟詩時，原住民放聲高唱，用嘹亮純淨的歌聲和毫不掩飾的熱情，來歌詠上帝。不同人種，不同語言，卻一同詠讚，彼此疼惜。我感動極了，心想：「啊，天堂就是這樣吧。」

我心想，這才是我喜愛的教會。我很明白的向養母表達心意，但她不理會我的原則，只要有人介紹說誰不錯、有學問、家境好、人品佳，她就要我試試。我曾向袁姑娘抱怨，說：「好像到菜市場買菜，一會兒要這，一會兒要那。」我常祈禱，請上帝讓我遇見一個能夠同心做事、不畏艱難的人。

非關浪漫　使命訂終身

關仔嶺的陳明清律師，是高俊明牧師的堂姐夫。明清先生娘高錦花是俊明的堂姐，她熟稔我幼年如何在關仔嶺長大，一心介紹我們相識。但我心恐慌，對養母說：「高家是望族，我不太習慣……」我們自幼清寒，生活艱苦，隨養父擔米撿柴，養母飼豬供我讀書。我不確定是否適應名門望族。但高牧師的家人，媽媽、姑姑、嫂嫂、姐姐，都對我很好、很慈祥，把我當自己人看待。我於是比較安心，開始與他通信。

當時高牧師正在山地巡迴傳道。我很敬佩高牧師在山上的工作，彼此很能溝通，幾個月後決定見面。

一九五七年，我專程返台，赴關仔嶺高牧師的姑丈吳秋微醫師的別墅相親。先前通信，我們曾交換照片。高牧師在山區不方便，委託他妹妹處理。

1958年，牧師和牧師娘結婚了。

1957年夏天，李麗珍返台相親前，赴平常探訪的陶生病院，向病人辭行。左起袁姑娘、麗娟、麗珍。

他妹妹一心求好，動了手腳，寄來一幀高牧師年輕時頭髮茂盛的舊照來。

我們在吳秋微醫師的別墅初見面時，高牧師穿著條紋襯衫和牛仔褲，頭髮很少，端立我面前，而我根本認不出來。直到媒人拉著手，輕輕說：「就是他。」

我心想：「咦，和照片不一樣，怎麼都沒有頭髮？」

我們持續交往。初見面在夏天，十二月訂婚，隔年二月結婚。以當時的標準，我們倆算晚婚，牧師三十歲，我二十七歲。我倆的婚姻，不出於浪漫，不始於愛情，比較像是使命感的結合。

論及婚嫁時，高牧師向我一一告白他的青春記錄。在教會，在聖歌隊，在青年會，交過什麼樣的朋友，做過什麼樣的事情，有過什麼樣的感情，一一交代清楚；並再三說明山上生活的種種艱辛，再三問我：「像我這種人，妳敢嫁嗎？」他說我應該再考慮清楚。

我覺得高牧師很溫柔，我認同他的工作，我相信和我

在日本的工作是類似的。我若回到自己的土地，繼續原本的志業，爲主做工，力量更大。妹妹麗娟留在日本，代替我與袁姑娘合作，我也較爲安心。我決定結婚時，寫信給袁姑娘，妹妹說她哭了好幾天。

甘苦牧師娘

——高李麗珍自述

婚後第一個家，租用一間農人廢棄的廚房。
屋子搖搖欲墜，牆壁坑坑洞洞，
太平洋的海風猛然一吹，我們的洞房，
連同簡陋的竹椅、竹桌、竹床，就吱吱作響，
真是名符其實的「洞房」。

太平洋海風　搖撼破洞房

一九五八年二月十四日，我們結婚時，高牧師已受聘任教玉山神學院。此時，玉山神學院正在曠野中流浪到慶豐教會。五十幾個學生，都是大人，用禮拜堂當教室，以主日學辦公室樓上當宿舍。原住民學生喜動不喜靜，說坐著讀書很難受，寧可拿鋤頭做工。孫雅各牧師娘創辦的芥菜種會在海邊有兩甲蕃薯田，學生吵著要去做工。吃飽飯，走兩小時去，墾土兩小時，再走兩

小時回來。說：「嗯，這樣舒服多了。」

有從蘭嶼來的雅美族學生，做田歸來，迷了路。許久許久，半夜才找到他們。他們以蘭嶼的方位爲方位，以爲看到海，就可以游泳回家。他們很想家，擔心老家有沒有柴可燒？有沒有米可煮？

婚後第一個家，租用慶豐村一間農人廢棄的廚房。屋子搖搖欲墜，牆壁坑坑洞洞，太平洋的海風猛然一吹，我們的洞房，連同簡陋的竹椅、竹桌、竹床，就吱吱作響，眞是名符其實的「洞房」。

之後，學校遷到鯉魚潭。剛開始，沒有老師宿舍，全體師生擠在竹籠屋點蠟燭和油燈照明。張雲錦牧師在花蓮市蓋了一棟二層樓洋房，他家住一樓，我們分租樓上一個房間。兒子慕源出生後，我們搬出去，租一間略大的房子。高牧師平常住鯉魚潭，周末才回家陪我們母子。我在學校當兼任老師，有課才揹著慕源到學校。楊啓壽牧師娘幫我照料小孩，我教宗教教育，教進修班學生台灣話。

高牧師月俸八百元。不知道爲什麼，有一陣子，芥菜種會沒有每個月寄錢來，經濟上很辛苦，我們不敢對家人說，苦苦捱著。學期中，學校開伙，我們跟著大家吃大鍋飯；假日，學生返家，學校停伙，我們吃飯就成問題。

閒暇時，我們騎車到後山逛，摘些野菜回來下麵。有一次，我採了山茼蒿，加蝦米炒一炒，煮了兩碗麵。正要吃時，張雲錦牧師來訪，他也還沒吃飯，我就把兩人份分成三碗。高牧師完全不在狀況內，才吃完，頻頻勸客：「張牧師，還要不要再添一碗？」我很不好意思，說，實在沒有了，眞對不起。

兩間竹籠屋　起建神學院

學校從兩間竹籠屋起家。先蓋本館，繼而宿舍，接著依藍圖和經費繼續興建。利用暑假共辦了五次國際勤勞營，召募美國、英國、日本、菲律賓和本國二、三十個大學生來幫忙，和在地生同作同息。原住民的姐妹教會也輪流來幫忙，煮飯煮點心，送水果、餅干來。夏天熾熱，天未大亮大夥就開始勞動，近午艷陽高照才休息，研究聖經；下午勞動後，就跳下潭內游泳，晚上還有聚會。

本館落成時，大約全台灣各地都有人來參觀致賀；講堂禮拜堂落成時，海內外都有人來；那種氣氛，簡直要讓人落淚。流浪那麼多年，這裡住，那裡住，搬家七次，終於有自己的地方。婆婆也來參加落成典禮。因爲路途遙遠崎嶇，又一路蜿蜒上坡，七十幾歲的婆婆，根本上不了。但學生很熱情，很

上：兩人婚後的第一間新房，是慶豐村的廢棄的農家廚房。

下：玉山神學院時期的全家福。左起麗珍之妹許慧滿、養母陳金絨，前排左起慕源、黎理和黎香。

聰明，拿家裡的竹製躺椅，用兩根大竹竿捆住，大花轎子一般，讓婆婆坐上，他們一路扛上學校。

老師宿舍小小一棟，約二十坪，一樓是客廳和廚房，二樓是浴室和兩間臥房。我們搬進學校宿舍，等於日日夜夜都和全校師生住在一起。寒暑假，我

陪高牧師去拜訪山地學生的庄社，巡迴傳道，訪問教會。孩子稍大時，就帶他們回台南祖母家玩。

鯉魚潭清澈見底，魚兒游來游去。我們拿小孩子的蚊帳，充當魚網；中間放食物當餌，拿繩索吊住，放入潭內。一有動靜，拉網上來，裡面都是魚和蝦，炒一炒，算是加菜。又去水源地捕青蛙，和卓邦宏牧師、蔣長老夫婦、工友的兒子阿榮，走山路去水源地，捉一大袋青蛙回來，煮蒜頭湯，或者炒咖哩配九層塔，也算加菜。

以前住慶豐村和花蓮市時，屋子小；如今搬入宿舍，房子略大了些，我就把養母接來同住。養父去世後，她回關仔嶺，做老本行助產士，兼赤腳醫師。僻遠山區，醫護人員匱乏，生產、難產、生病，樣樣靠她翻山越嶺去救命，大家都仰賴她。

年歲漸大，她來鯉魚潭與我們同住，幫忙帶孫子；又在院子種菜、種水果，做蕃薯、蒸包子。葫瓜結實累累，自己吃不完，就叫孩子分送鄰居。孩子放學回家，直接從院子走進廚房，大聲嚷嚷：「阿嬤，阿嬤，肚子餓了。」就有熱騰騰的點心吃。鯉魚潭附近完全沒有商店，沒有零食；阿嬤一來，家裡的伙食變得非常豐富，孩子吃得很高興，阿嬤也很高興。

鯉魚潭湖畔　快樂學習站

慕源看到農家牧牛，很羨慕，說：「阿嬤，我也想牽牛。」阿嬤疼孫，孩子說什麼，要什麼，就給什麼。於是買了一對黃牛給慕源牽，其實還是農夫阿水伯在飼養，養在橘子園裡。牛買來，每年生一隻小牛。慕源擅長招蜂引蝶，手一伸，很輕巧溫柔的捉到蝴蝶，而且毫髮無傷。

學校設有「農業訓練班」，學生學成後，回家鄉務農。有一位日本來的大岡老師，熟稔農業，年輕單身，像學生和慕源他們的大哥哥，大家都黏著他玩。他教小孩各種把戲，例如做動植物標本。夜晚飛進屋子的蛾，好大的蛾，他們也捉來做標本，玩得很開心。

除了教室和宿舍，整個學校其實就是橘子園、木瓜園，植滿各種水果。小孩爬上果樹，邊玩邊吃。被高牧師看見，晚上就叫慕源、黎理、黎香三兄妹罰站。牧師問：「誰叫你們摘的？」牧師嚴誡，學校是學校，我們家是我們家，要分得清清楚楚。

校內的菜園收成時，有青菜、水果、雞鴨。我們向工友或總務組說：「拜託，捉一隻雞。」秤秤看，錢照算。孩子沒有財產和所有權概念，以為爸爸是院長，學校的，就是我們家的；樹上的水果，當然也是我們家的，所以被

高牧師罰站。僅此一次，他們就弄清楚，再也不敢了。

每年的受難節，是校慶和運動會，不只校友回來慶祝，連原住民也派代表來同樂，大大小小一起慶祝和比賽。學校初時，沒有操場，運動場地都是克難式的。辦公室前面有一條長雜草的小路，充當跑道，一端放置糖果，小孩從另一端跑起，誰先到，誰就拿到糖果。教職員的孩子、主日學的學生、附近部落的小孩，都可以參加。

游泳比賽當然在鯉魚潭，游完一趟大約六百公尺。還有划船比賽，不拿船槳，光用手划，比腕力。馬拉松比賽則是從學校跑到隔壁村莊，再跑回來。另外還有摔跤比賽，後來還有原住民的舞蹈歌詠。

當時的玉山神學院，好像原住民的聯絡站。

我兒慕源（一）

——高李麗珍自述

慕源喜愛大自然，喜愛住山上。他的童年充滿著夢，有很多點子等待他發明。來到台北，功課卻完全跟不上。淡江中學的校長說：「在台灣，這孩子很多學科考不及格；但他的程度，如果去美國，可以拿獎學金。」

麗珍和慕源，母子同樂圖。

忙碌的校長　缺席的父親

我兒慕源，懷胎在山裡，成長在山裡，原本以為可以一輩子當山裡人，結果無法如此。

慕源生於一九五九年。他的名字，是大伯父高金聲牧師取的。當時大伯父想了很久。起先說慕眞，一般都叫阿眞，嫌女孩子氣重。又取名慕清，聽孩子們喊著：「啊，五千，五

千。」大伯說：「這樣不行。」最後才決定慕源，欣慕源頭，就是創造的主。

慕源是家人非常期待的小孩。高牧師系出高家男子第三房，排行么子。大姐的女兒，長高牧師一歲；大哥的女兒，也已經讀大學。所以慕源出生後，家人都很高興。放假我們帶小孩回台南，是家族裡唯一的小孩，大家都搶著帶，搶著玩，我們反而很輕鬆。

但小時候，慕源常抱怨，說父親是陌生人。某種意義上，高牧師是一個缺席的父親，他從清早到夜裡，忙於學校事務；雖然同住校園，卻幾乎只有晚飯時間，才與家人在一起。吃飽飯，又繼續忙校務；不然就是因過度疲憊，癱在一旁瞌睡。

禮拜天，偶而有公私友人來訪，大家禮拜過後，在鯉魚潭附近遠足、爬山、野餐。學期中如此，寒暑假時，牧師又得巡迴山區，拜訪學生的庄社；三個孩子則送回台南，陪祖母和其他堂兄姐。

高牧師只關心校務和教務，相對之下，顯得不很關心家務。他對夫妻的分工，界線很清楚，他說：「家庭就拜託妳了……」全家大大小小、裡裡外外，都是我的責任。我照顧小孩，管教小孩，孩子因而質疑「父親的存在」。家裡彷彿只存在著一個父親的影像，人存在著，但感情上、精神上，

若有似無。

我心裡也不平衡。好像都是我責罵，我管教，他置身度外，毫不關心。他說：「我如果更嚴格，孩子可能覺得這個家沒有溫暖。」所以，我當嚴母，他就不再當嚴父。他比較喜歡和孩子做朋友，把小孩抬上肩膀玩，很少體罰，頂多罰站。印象中打了幾次屁股。

我要求他盡父親的義務。他說：「我沒有時間。」他當然沒時間，理論上我應該了解；現實上，卻很難接受。他既要教學，又要管行政看公文，又要鋤地擔肥做勞動；客人來訪，還要接待客人。數不清的工作、全校師生的責任都落在他雙肩。學校財務困難，他還叫我去借錢。他不敢開口向人借錢或募款，他說：「如果要募款，不如自己出錢。」但他沒錢，他說：「不然，妳去借錢。」

我不敢向高家借，回娘家向表姨借。表姨嫁做醫生娘，經濟較寬裕，可以借錢給學校。我不曾爲家用去借錢。表姨很了解，還主動問起：「你們的經濟怎樣？怎麼運用？」她還教我理財。

現在也是如此，都是我去募款。換成是他，有能力的話，就自己出錢，他不曾向人家開口說：「請你奉獻。」

我的父親是牧師，較習慣募款；媽媽也曾爲了中正教會建堂，帶長老四處去找以前的會友、親戚募款。自小看父母如此，習慣了，心想：「反正這是公務，又不是爲了私用。」起先當然很不好意思，臉紅紅的，講話結結巴巴，別人反而勸我說：「這不是爲你自己，不用掛慮。」我就比較安心。若遇見人家不是很高興，就趕快退下，不再談起。

童年充滿夢　求學多挫折

在玉山神學院時，高牧師不注重孩子的學業，但嚴格要求他們的品德、信仰、健康、運動與平衡發展。玉山神學院的教職員，大多把小孩送去花蓮市上學，牧師說：「我們讀附近的原住民學校，讓他們體會原住民的生活，與原住民的小孩做朋友。」

有一次晚餐時，慕源說別人家叫原住民是「番仔」，他剛講到這裡，高牧師馬上扳起臉來教訓他，慕源當場就哭了。這是我們家的基本家教：要有信仰，對原住民要完全平等，絕對禁止小孩看輕原住民、說話不禮貌。

慕源喜愛大自然，喜愛住山上。每天上學，邊走邊玩，抓蝌蚪抓蟋蟀，看野花看野草。老師騎腳踏車從後面趕來，大聲催說：「高慕源，快遲到了！」

學校供應營養午餐，但必須自備柴薪，他和妹妹一路扛柴去，也覺得有趣。山區學校不注重功課，我們在家裡，讓他讀些自習課本，當時我的妹妹慧滿任教玉山神學院，與我們同住，我也請她幫忙看看慕源的功課。我們認爲這樣就很好了。慕源說他的童年充滿著夢，有很多點子等待他發明。

我們沒想到會搬來台北。高牧師認定畢生要奉獻給原住民，他的心在那裡；以爲長久在那裡，孩子自然成長，有個快樂童年。

慕源國小五年級時，與三年級的妹妹黎香，赴台北讀書，和外婆住一起。高牧師受聘擔任總會總幹事，我們全家遲一年北上團聚。當時，牧師忙於總會事務，仍是一個缺席的父親。

慕源來到台北，功課完全跟不上。中山國小每門學科，不只一本課本而已，光是數學，就兩、三本習作要寫，還有其他的。最重要的是，他說：「老師和同學說的話，我都聽不懂咧！」在台北要說華語，以前我們在家都講台語。老師說的，同學講的，他都聽不懂，很痛苦。

每天的生活，就是背書。爲了應付考試，樣樣得用背的。考試大多考是非題，沒有那種思考的、實驗的課程。他說：「上課怎麼這樣？都不能問爲什麼……」

我常常跟老師討論，教育不能光是背誦，要讓他們理解。但大環境如此，教育當局的政策，加上家長的要求，大家習慣比較誰的孩子成績最好，爭先恐後去補習。慕源不願意補習，他說：「老師家，小小的一間，擠了那麼多人，電燈又不亮。」他們在模模糊糊中讀書寫字，難怪都要戴眼鏡。

慕源讀淡江中學時，陳泗治校長曾經對我說：「在台灣，這孩子很多學科考不及格；但他的程度，如果去美國，可以拿獎學金。」公民、歷史等學科，他都背不起來。但學校廁所壞了，慕源主動修理；有事交代，慕源很認眞去巡、去做。他手巧，擅長做東做西，又有創造力。他常抱怨：「都沒有實驗課！」他們上物理化學課，竟然都不做實驗。他喜歡做實驗、畫圖、打橄欖球。

淡江中學畢業，慕源讀了一年神學院。因爲神學院政府不允立案，兵齡一到，學生必須休學去當兵，退伍後再繼續讀。當兵時，爸爸就去坐牢了。慕源和父親，並沒有親密相處的機會，有很長一段時間，兩人完全沒有接觸。慕源覺得很孤單，父親對他不熟悉，他也對父親不熟悉。慕源還有一種壓力：就讀淡江中學時，爸爸擔任教會總幹事，在學校有其聲望，全校師生都用爸爸的標準在看他。

政治犯之子 服役被刁難

同學邀他投考軍校，說：「我們常常批評說政府怎麼壞，老說要改革、改革。不如進去軍隊，從內部改革，不是更快嗎？」幾個淡江中學應屆畢業生說：「我們不要考大學，我們去考軍校。」我勸止慕源說：「你很受注意，進去反而被限制。」

慕源的確吃了不少苦頭。服兵役前，排隊抽籤，決定是幾年役。七姑丈說：「你早點去，抽好一點的籤。」慕源很早就去，排在甲列。輪到他時，軍方說：「不是，你是那邊那一列。」他過去那一列重新又排，輪到他時，軍方說：「上級幫你抽好了，三年役。」拿一張三年役的簽給他。

慕源當兵時，有人告訴我，如果役男是獨子，父親五十歲以上，可以去找齊父親從十五歲起所有的戶口謄本，証明他除了這個獨子以外，任何地方都沒有兒子。資料齊全的話，可以少當一年兵。

慕源當一年兵以後，我就去辦戶口謄本。牧師待過屏東、花蓮、台北，我四處都申請，拿去辦。軍方說：「還缺一張，新店的。」「可是，我們沒住過新店……」軍方說：「有啊。」原來牧師坐牢，軍方主動將戶口遷到新店監獄，戶長就是新店看守所所長。

慕源赴美就讀。高李麗珍出國開會，順道前往探望。此時高牧師還在坐牢。

慕源本來就內向，自從爸爸藏匿施明德的事件後，他更加內向。父親坐牢時，他原在軍中當班長，軍方再也不讓他拿槍，不讓他帶部下，叫他到連長那裡做補給。

後來轉調文書工作，每次休假前，都要他背軍中法則，背完才可以回來。有一次他背完，說：「這樣可以了。」也不行，說回來前，還要去報告：「我要回家了。」很多刁難。

有一次，他請朋友轉告我說：「我這個禮拜不能回家。」後來才知道，東西丟了，連長叫大家找。他們拉開抽屜一直找，連長進來說：「這個抽屜不能開，你怎麼打開？」根本沒事先交代不能開抽屜。因爲這樣，就把他叫去關禁閉。牢裡很暗，滿是蚊子，也有全身刺青的流氓。關了好幾天，慕源回來，說：「我稍微能體會爸爸坐牢的滋味了。」

慕源當兵時，受到差別待遇，遭遇種種苦處；當

時台灣政治尚處黑暗時期，更不知以後要發生什麼狀況。當完兵，回來再讀神學院，一有機會出國，我就讓他出國了。

親戚幫忙申請美國愛荷華州 Central College ，辦妥手續。一九八二年，慕源和一個在日本長大的台灣孩子同行。他不會說日本話，那人不會講台語，兩人比手畫腳，雞同鴨講，一起搭飛機，相伴去註冊，從大學部undergraduate school讀起。我若去美國開會，順路時就去看他。寒暑假時，他就到紐約住四姨丈高文宗牧師家。

後來慕源先後於紐約和加州的大學就讀，研讀神學、藝術、電腦的相關課程，如今定居美國，有二子一女，住在洛杉磯的Chino Hills，在《愛家雜誌》擔任電腦美術設計。該雜誌在美國發行，前關渡基督書院院長葉高芳牧師當社長，台灣有分社。慕源覺得，這個雜誌能幫助人家建設幸福、圓滿的家庭，他有成就感，做得很滿意。

我們應邀去美國開會，他常要求我們住久些，不要到處跑，去這裡開會、去那裡演講。但這些我們都先答應別人了，因此只能在慕源家待幾天，他就不高興。他說，他的父親好像都是大家共有的，不是他的，他排名最後面。

我兒慕源（二）

——高俊明牧師自述

人生充滿痛苦，從小就要儘量吃苦，
從苦中成長，才有能力解決自己和世間的苦。
我對孩子的教育理念，就是儘量讓他們吃苦。
我相信，這些痛苦和訓練，有一天能變成他們的力量。

曾有朋友對我說：「假使有兩個小孩掉落水中，快要淹死。像你這種人，看到了，噗通跳下水，一定先救別人的孩子，再救自己的孩子。」

我聽了以後，深切反省。眞的，沒錯。

在玉山神學院，我身爲院長，爲大小校務盡心盡力。一天二十四小時，我全年無休的忙碌。那十三年當中，我一直黑黑瘦瘦乾乾的，鬍鬚胡亂長，衣著胡亂穿，一般人都以爲我很老，一個老頭子。

子女的童年，我和他們相處的時間很少，比較少私底下聆聽他們的想法，

或允諾提供怎樣的協助。

我只以爲，在這種家庭長大，有媽媽的照顧，有美麗的環境，有很多同年齡的朋友，他們應該很快樂，滿足這種生活。我不明白父親應該與孩子有更多談話的機會，或是說，父親應該撥時間關心孩子。

十三年來，我整個人投入，充實教育內容，加強經濟條件，無論颱風下雨，都要和師生一起做工。我一切思考的重心，都是辦校使命。家庭，交代麗珍就好了。

我心想，認眞完成使命，這種態度，應有助子女面對人生。

他們的抱怨和不滿，長大以後才說。黎香、黎理有時候嘀咕，說爸爸都不關心她們，只關心別人的事情。她們覺得有很多話要跟爸爸說，爸爸都在忙。我漸漸反省，確知過去實在未曾好好關心孩子。

我聘請楊啓壽牧師從九如教會來玉山神學院服務前，寫了很多信給他，讓他了解工作的各種艱苦：「必須覺悟一切是如此艱苦，但是，這地方迫切需要你來幫忙。」我習慣讓別人從一開始就知道那是艱苦的工作，你來，不是享受，而是分擔艱苦。

對麗珍的態度也是如此。對孩子，我仍然有此想法。人生充滿痛苦，從小

就要儘量吃苦，從苦中成長，才有能力解決自己和世間的苦。如今回想，我受主耶穌和托爾斯泰強烈影響。主耶穌一生中，就是那麼痛苦過來的，所以一再強調：「在世間，你們有苦難，你們要勇敢，我已經打贏世間。」要成爲勝利者，一定要經驗痛苦，戰勝痛苦。

在玉山神學院時，對學生，我儘量讓他們吃苦。在學校，不只認眞研讀聖經和神學而已，還要做苦工，以培養意志和能力；回部落去，才能順利通過荊棘之路。

從很抽象的思想，到對孩子的教育理念，我就是儘量讓他們吃苦。孩子要吃苦、受訓練；各種訓練都有幫助。我一貫的想法就是這樣。我相信，這些痛苦，這些訓練，有一天能變成他們的力量。

我出獄以後，慕源已經在美國讀書。我去美國，他開車載我，父子倆有機會靜靜講話，他才第一次向我透露，當時他遇到什麼樣的痛苦……

回想過去，我確實對孩子長期疏忽。這幾年來，我深感自己所犯的嚴重錯誤，因此儘可能找機會關心他們。幸好，他們也諒解我的種種缺點，積極以愛心回應我。

第5部 福音山上

我們立志，要找到一個最美麗的地方。
我們的夢土很明確，就是一個有山，有水，
風景優美，接近原住民部落的地方。
一九五九年的受難節清晨，師生搭乘三輛卡車，
辭別流浪歲月的最後校舍慶豐教會，奔向新的所在。
經過荒野、溪流和崎嶇山路，
在明亮的陽光下，抵達鯉魚潭畔。
我們立志建設學校，成爲山上的花園。

流浪歲月

戰後，玉山神學院的師生，在台灣東海岸山區流浪十一年，遷移七處所。這一群當代吉卜賽人，包括阿美、布農、太魯閣、泰雅、排灣、曹族、雅美、卑南等九族學生，漂泊不定，前途茫茫；好像摩西率領族人出紅海，在曠野中遇試煉。最後發現了鯉魚潭畔這個所在，第一眼，我們就認定這是上帝賜給的土地。

創校艱難 曠野漂泊十一年

在山區巡迴傳道了幾年，一九五七年四月，我受聘爲玉山神學院教員，專司原住民傳道人才的培育工作。日治時代，尤其是大東亞戰爭爆發、軍國主義盛行時，日本政府嚴禁入山傳教。但越禁越熾，政治的鐵棘藜，抵擋不住原住民追求信仰的心。

玉山神學院是台灣第一所專爲原住民設立的神學院，矗立於風光明媚的花

蓮壽豐鄉鯉魚潭畔；在此之前，是一段漫長的流浪歲月。戰後，一九四六年九月，溫榮春牧師受孫雅各牧師囑託，借用花蓮秀林鄉富世村農業講習所，開辦台灣聖書學校，教育有志獻身事奉眞神的原住民青年。

孫雅各牧師（Rev. James Dickson）一九〇〇年出生於美國達科他州。一九二四年畢業於明尼蘇達州聖保羅馬加利斯特學院，又入普林斯頓神學院；一九二七年獲神學士學位，受加拿大多倫多長老教會任命爲宣教師。同年十月，偕牧師娘孫理蓮姑娘來台，時年二十八歲。

孫牧師以一年的時間學會台語，次年代理淡江中學校長，一九三一年任台北神學校（台灣神學院前身）校長。直到一九四〇年，因東亞戰爭的種種關係，辭去校長工作，離開台灣，改派至南美圭亞那，在原住民中傳道。

戰後，一九四六年七月，孫牧師再度受派來台，深入山區，從事原住民的傳道工作和神學教育，原住民從他受洗者，有數千人之多。一九四八年春天，孫牧師接任台灣神學院院長，直到一九六五年退休爲止。

聖書學校創辦兩個月後，政府收回農業講習所。師生無處棲身，只好搬到太魯閣立霧館，這是已經荒廢的日本人舊旅舍；四個月後，又搬到富世教會，並就近建設校舍。秀林鄉各村信徒採集木料和竹材，自行搭蓋教室、宿

舍、廚房和廁所；三十多名學生自備燒鍋碗筷，共同進食。一九四八年，因租期屆滿，學校又搬到花蓮市美侖，租用鋁業公司的房屋，充當校舍。

一九五五年六月，學校接到差會(sending church，差派宣教師來台的教會)的通知，說，「因財政困難，應予停辦」。但董事會和一部份師生堅決護校，決定繼續辦下去。外援中斷，大家仍想辦法支撐。

台南神學院院長黃彰輝牧師獲悉此事，立刻在該校開辦特別班，接納南部的原住民學生十七、八人，不使牧民流散，並找我當主任，直到一年後，順利畢業。孫雅各牧師娘也深知培育原住民牧者的重要性，允諾芥菜種會每月認捐二千元興學。

一九五七年四月，學校又遷到台東縣關山鎮，借用山地診療所當校舍；診所的主持人黃醫師，就是黃美廉的祖父。黃美廉自幼腦性麻痺，運動神經和語言神經受損，六歲之前還無法走路，但她在父母和師長的愛裡長大，克服肢體障礙，積極樂觀，比別人努力百倍以上，走出自己的彩色人生。一九九二年她獲得美國加州洛杉磯大學藝術博士，返台教學和繪畫，她的人生，充滿奮鬥和歡樂。她曾說：「只要做分內的事，相信上帝，熱愛生命，美麗的前途就不遠了。」沒有人比她有資格說這些話。

當時，關山駐有胡文池牧師，他是東部原住民傳教的開拓者，與布農部落很熟，擅布農語，並翻譯布農語的聖經。胡牧師身形高大，腿長腳快。我在山區巡迴傳道幾年，自認爲善行山路，沒想到他比我更快。跟他入山，經常半走半跑，才跟得上。

那時我還單身，常受邀去他家吃飯。牧師娘節儉持家，每頓飯都算得恰恰好，你吃這個，他吃那個，盤盤都吃得精光，一點都不浪費，所以每餐飯都很新鮮。胡牧師注重家庭教育，九十歲壽誕，子孫滿堂，膝下有數不清的牧師和博士。

之前，玉山神學院因經費拮据，專任教師只有一人，就是代理校長彭文硯先生。他負責學校行政，安排兼任教師，所謂的「校長兼撞鐘」。幾個月後，彭先生辭職，回平地教會牧會。學校只餘張雲錦牧師和我，兩個專任教師，其他則是從附近平地教會聘來的兼任教師。

彭代理校長辭職後，董事會找我去，說學校只剩兩名專任教師，他們打算挑選一人來接任校長，或者從外面聘任也可以。他們商量之後，決定挑選我，可能是因爲我看起來比較年長之故。

追求眞理　九族學生共流浪

我頭髮早已稀疏，鬍鬚根本沒剃，任由兩鬢胡亂長，看起來顯得年紀大。其實我才二十八、九歲而已。而學生呢，來自原住民各部落，年齡差距很大；有的與我相彷彿，有的長我多歲。其實約三分之一的學生，入學前早已結婚，甚至生兒育女了。

這些原住民學生，各有家庭負擔，各有思家之苦。有的受家人鼓勵，前來接受造就；有的違抗家族信仰，決然追求眞理；有的半工半讀，辛苦維持家計；有的犧牲原有社會地位，有的置家裡耕作於不顧；有的撇下先前種種謀生技術，如建築、打棉被、修鍋補傘、理髮等，來接受傳道上的磨練。流浪的學校，充斥苦悶、憂傷、悲慘和難題。

我向來不擅長行政事務。幸好張雲錦牧師實務能力強，我就建議聘他爲副校長。聽起來官很大，其實學校就我們兩個專任而已，其他教師都是兼任。所以當務之急，就是聘請肯吃苦耐勞、能安於寂寞的人才，來當專任教師。

第一人選就是楊啓壽牧師。他是我在台南神學院的學弟，出身非基督教家庭。哥哥楊陵祥醫師，是很好的基督徒，專攻皮膚科，很關心痲瘋病患者。在他的影響下，楊啓壽從未信者，變成基督徒，進入神學院；畢業後，在屏

東九如牧會。我與他通信，說明此地的種種困難和問題；但羔羊需求牧者，請他慎重考慮。

經過長期的通信和思考，楊啓壽下定決心。他的決心堅強無比，此後在玉山神學院一待三十年，沒有人比他更堅決。

一九五七年十一月，關山的院舍租期屆滿，學校不得已又遷往慶豐教會，借用主日學教室。我們這一群當代吉卜賽人，包括阿美、布農、太魯閣、泰雅、排灣、曹族、雅美、卑南等九族的五十二名學生，漂泊不定，前途茫茫；又好像摩西率領族人出紅海，在曠野中遇試煉。

從戰後到當時，玉山神學院的師生，已在台灣東海岸山區流浪十一年，輾轉遷移七個地方。台灣神學院院長孫雅各牧師和台南神學院院長黃彰輝牧師，向來非常關心原住民的教育和傳道，時常向美國、加拿大、英國、歐洲、紐澳等國，報告台灣的情形。海內外信徒獲悉此事，幾年之中，獻金源源而來，折合新台幣二百四十萬元，成爲玉山神學院落腳安歇的第一期計畫基金。

我們開始物色土地。多年來，從一個地方流浪到另一個地方，永遠不知道可以待多久，從來沒有自己的家。我們立志，要找到一個最美麗的地方。我

們的夢土很明確，就是一個有山，有水，風景優美，接近原住民部落的地方。我們一直找尋，最後發現了鯉魚潭畔這個所在，四面環山，中央有湖，層巒疊翠，花香鳥語。

第一眼，我們就認定這是上帝賜給的土地。

山上的花園

初到鯉魚潭，八甲的校地幾乎漫無人煙。荒山草叢中，只有兩間竹籠屋，充當校舍。沒有電，沒有自來水，沒有公路局的車班。三十七名師生，樣樣靠自己的雙手雙腳打拼，彷彿活在二十世紀的洪荒人類。

二十世紀的洪荒人類

一九五九年的受難節清晨，師生一起搭乘三輛卡車，辭別流浪歲月的最後校舍慶豐教會，奔向新的所在。經過荒野、溪流和崎嶇山路，在明亮的陽光下，抵達鯉魚潭畔。我們合力搬下所有的傢具和用品，就在湖邊草地上，舉行受難節的禮拜。我們立志建設學校，成爲山上的花園，並請主耶穌讓我們體驗爲人類釘十字架的榮光，和死而復活的力量。

初到鯉魚潭，八甲的校地幾乎漫無人煙。荒山草叢中，只有兩間竹籠屋，充當校舍。學生趙金樹回憶說，當他初見校園，目睹他渴慕的學院，禁不住

在風光明媚的鯉魚潭畔，玉山神學院從無到有，自己挖地基、綁鋼筋，牽自來水；原住民婦女揹著小孩（左下圖），也來幫忙。

驚嚇：「校園的四周，除廣大的湖及高大的山以外，只是一片荒涼。東一棟西一棟的草寮竹屋，悽悽慘慘……我問先到的舊同學，學生宿舍在那兒？那就是，啊，我大吃一驚，我還以為是豬舍呢？」句句實言。

從院長到學生，從禮拜一到禮拜五，上午研讀聖經和神學四小時，下午拓荒開墾三小時。在課堂上，我們是老師；出了教室到大自然，學生就成了我們的老師，是我們學習的對象。

不論颳強風下大雨，人人手拿鐵鍬、十字鎬、鋤頭、畚箕，為校舍挖地基、築牆、鋪路、種植。大家脫掉制服，戴上斗笠，手持傢伙，朝著校園、農場、柑橘園、養雞場、豬舍、牛馬場邁步，各盡本分。禮拜六、禮拜天，則輪流到附近的教會傳道理。

四十年前的鯉魚潭畔，沒有電，沒有自來水，沒有公路局的車班。三十七名師生，樣樣靠自己的雙手雙腳打拼，彷彿活在二十世紀的洪荒人類。天沒亮，我們就起床，到湖邊打水，挑到水缸，以明礬過濾，供全天食用。天將暗時，勞動結束，滿身大汗，我們脫光衣服，卜通卜通跳進湖裡暢意游泳，順便洗澡。夜裡讀書、寫字、作息，只能以油燈和蠟燭依稀照明。啊，我懷念那裡的人，那時的原始生活。

後來，張雲錦牧師在幾公里遠的後山，發現一處清泉。於是向政府申請權利，師生扛著塑膠管、鐵絲和相關工具，翻山越嶺去引水。然後造水槽，清潔過濾，幾公里的水管，順著山間溪谷一路接駁到校舍，我們終於有了自製的自來水。至今四十年，玉山神學院仍然沿用當初的土法工程。之後，陸續申請電、裝電話、巴士站，許多年後，才漸漸從無到有。

在自立自養自傳的建校精神下，我們除了經營農場，還經營三十甲的造林地。每學期有兩次事奉週，一次三天，舉校拔營到兩小時腳程的山頭，砍草、翻地、播種，遍植濕地松、相思樹、油桐、梧桐、杉、桃花心木和柑橘。多年後，計有一萬三千株。我離去的隔年，造林地的木材出售，得款一百萬元；接任的院長以這筆經費，蓋了三層樓的女生宿舍。

培育原住民的傳道人

造林地的生活，學生張明佑的回憶非常生動，他說：「清晨雞啼而起，獻上讚美詩和感謝的禱告，隨即匆匆嚥下幾口飯菜。一聲長哨，我們像夜行人一樣在暗淡的月光下蠕動……爬山涉水將近兩小時，好不容易才見到前曾踏過的地方——造林地。傍晚拖著疲憊的身軀，又循原路回校。」

師生立志建設學校，使之成為山上的花園。

這篇刊於玉山神學院二十周年紀念冊的文章，詳細描寫造林點滴：「有時我們支搭帳棚或搭建臨時工寮，深夜萬籟俱寂，夜鳥悲鳴聲來。人雖然在夢鄉中聽起，眼睛也會偷偷摸摸的淌下淚來。造林地植有松樹、梧桐、油桐。憶及多年前，它還是一棵需要我們辛苦的砍草解圍，讓它生長的幼苗……如今樹大成蔭，在蔭下休息，倍覺欣慰，倦意頓消。依著樹幹而坐，午飯特別好吃。」

林深不知處。我們入山造林，一去就是三天，必須搭草寮過夜。學生長於深山，腦好手巧，就地取材，隨手拉砍綁捆樹木，就有個大概的樣子。割刈菅芒，編成屋頂，再鋪木板於地上，鋪一層大片的菅芒葉子，加一層毯子，即可席地而睡。草寮沒有隔間，只中間一條通道，像個大通鋪，師生分兩列排排睡。

曾經有一次，半夜，睡隔壁的學生輕輕搖醒我，低聲說：「院長，你頭頂上有一條蛇……」我抬頭一看，

果然有一條蛇，尾上頭下，尾巴搭掛在橫樑上，蛇頭已垂近棉被。蛇的本能是，看到移動的物件，立刻攻而咬之。學生囑我別急著起床，先平著身子，緩緩挪到旁邊去。等移到安全距離時，他才和其他學生拿竹竿圍而撲之，救了我一命。那於我有救命之恩的學生，就是如今的全日昇牧師。

玉山神學院地處偏僻，仍有好友不辭千里而來，與全校師生一天二十四小時同起同臥同工。國內外信徒持續爲本院禱告和捐獻；原住民奉仕隊，有時三十人，有時六十人，肩上背著小孩，手中又牽著小孩，跋山涉水，趕到鯉魚潭來協力建校。台灣基督長老教會青年處協助我們，辦了五次國際勤勞營，來自各國的大學生，集結玉山神學院，手拿鋤頭，爲主做工。幾年之間，我們興建了第一本館、兩棟教職員宿舍、第二本館、學生宿舍和農舍。

我們的教育宗旨，是培育原住民的傳道人，具有原住民意識，並且以原住民爲榮。學業上注重七大項目，分別是：

一、神學：系統神學、實踐神學、聖經神學。

二、社會學：特別是少數民族的社會學。

三、歷史：世界歷史、教會歷史。

四、農學：畜牧、蔬菜、園藝、造林。

地處一隅的玉山神學院，張掛的旗幟彷彿聯合國，有國內外信徒的祈禱和捐獻，有五次國際勤勞營，來自各國的大學生，胼手胝足，為主做工。

五、文學：世界文學、語言學。
六、運動：排球、籃球、桌球、棒球、田徑及其他。
七、音樂：教會音樂、世界名曲、民謠。
爲此，我們又特別聘請來自歐洲、美國、日本的宣教師，使學生從原住民意識、台灣意識之外，進而超越種族、血統、文化、國界，擁有寬廣開闊的胸懷。

我後來還寫有一篇〈玉山神學院的祈禱〉，刊載於《山上的花園——玉山神學書院二十周年紀念》。

一

我們在天上的父神
願您使這烏雲籠罩的
荒山幽谷，變成
百花盛開的花園。那兒有
真理的花，公義的花，
聖愛的花，信仰的花，

高俊明院長與國際勤勞營的英國友人Mr. Walter Carruther（左圖），和原住民牧師。

盼望的花，安慰的花，
和平的花，喜樂的花，
勇氣的花，勝利的花，
贖罪的花，復活的花，盛開著。
願它的馨香流芳遍地，
直到萬代。
奉耶穌的名祈求
阿們！

二

神啊！
求您將
最深的信仰
最高的智慧
最強的身體賜給我們
然後

校慶時，原住民著傳統服飾前來祝賀。右一即高李麗珍。左一是高俊明的五姐平華，左二是七姐滿華。

差遣我們到
充滿著罪與苦難的地方去
和我們的兄弟姐妹們
同背十字架，來
榮耀您的聖名
阿們！

以賽亞書寫道：「曠野和乾旱之地，必然歡喜，沙漠也必快樂，又像玫瑰開花。」我從一九五三年開始山地巡迴傳道，一九五七年任職玉山神學院，到一九七〇年止，大部份的時光，與原住民同胞朝夕相處，享受他們的單純和熱情，別具智慧的生活方式，於我的人生而言，是很大的幸福。我常深刻感受到，與原住民在一起，我教導的少，學習的多。

而我，和我的家人，原本還以爲會在這山上的花園，快快樂樂過一輩子……

海外的兄弟們

那一年的出國進修，既快樂又有成就。特別是與東南亞各國的傳教者相識，有機會了解他們的風土與國情。

每天晚餐後，大家相聚，吟聖詩或大合唱；每晚的大合唱，竟然成為全校師生的晚間盛會。

日本的農村神學院

在玉山神學院任職多年後，精神和體力過度透支，疲憊不堪。於是在休假年，sabbatical year，一九六二年，我選擇出國進修。

出國兩年多，玉山神學院的職務由懷約翰（Mr. John Whitehorn）代理。麗珍當時有孕在身，回台南高家待產，也趁機讓慕源、黎香和長輩、親友相聚。人家問：「你放心嗎？」我非常放心。學校和家庭，我都非常放心。

懷約翰是英國人，父親是英國的神學院院長，很著名的神學家庭。懷約翰

上：赴日深造時，與外國宣教師之子合影。
下：在鶴川農村神學院上課報告的情形。

行政能力強，語言天分高，當兵時，已學會日語；來台後，先學兩年台灣話，繼而到屏東山區，學排灣話。後來他和排灣族的牧者，共同爲排灣語聖經的翻譯，付出甚多。他的妻子是 Dr. Elizabeth Whitehorn 醫生，服務屏東基督醫院，舉家來台奉獻。當年我在屏東山地巡迴傳道時，兩人常在一起，我做巡迴，他做翻譯。他擅講基督教道理，很受人尊敬；但他最長久的影響，則是翻譯聖經。

第一年，我赴日本東京都鶴川農村神學院，接受造就。該校既有農學指導，又有神學課程，是亞洲各國傳教者深造常去之處。我覺得該校的宗旨，很適合玉山神學院未來發展的參考，就申請當研究生。方抵達，校方非常客氣，對我說：「你已經是神學院院長了，不用再和其他學生一起讀書。喜歡哪門課，欣賞哪位老師，隨你自由上課，圖書室隨你自由使用。除此之外，如果希望去哪所學校見習，我們也能爲您引薦。」

那一年的學習生活，既快樂又有成就。特別是與二十幾名來自東南亞各國的傳教者相識，使我有機會了解該地區的風土與國情。當時我堂妹英子，正就讀農村神學院保姆科，準備日後擔任幼稚園老師。英子很漂亮，琴藝好，人緣佳，我請她每天晚餐後，到禮拜堂司琴。我們一群東南亞的傳教者，大都熱愛音樂，大夥吟聖詩或大合唱；有人不會吟，就坐一旁邊聽邊打拍子，也有人坐在外頭草坪聆聽。每晚的大合唱，竟然成爲全校師生的晚間盛會。

聖誕節將屆，學生決定表演韓德爾的哈利路亞大合唱，並推派我當指揮。早年我在太平境教會聖歌隊時，曾演唱這首大合唱的男高音，又在屏東教會指揮聖歌隊演唱這首意義非凡的歌曲。我建議神學院音樂系的音樂部長指揮，但他說此譜太深奧。我說：「沒關係，我教你，你指揮。」我不拿指揮

棒已經許多年，仍然拿起樂譜慢慢和團員練。演唱會時，則請音樂部長上台指揮。

由於音樂和英子的幫助，學習氣氛很愉快。神學校和保姆科、以及來自東南亞的傳教者研究生，也彼此親睦，而我也常被邀請演講或証道。

英國雪梨奧克學院

當時我還算年輕，偶而也和神學生相撲或打桌球。早年我在日本讀小學時，常常相撲，班上有一名最壯的同學，很厲害，無論誰向他挑戰，無論來者有何路數，他都可以把人家摔倒。我很羨慕，特意向他學幾招，很管用。神學院最壯的學生，也邀我相撲。他才二十歲，我已經三十幾歲，仍接下戰書。比賽時，第一次平手，第二次我贏。於是學校有傳言，說我不只會音樂，相撲也很勇。

除了這些文武會友之事，我也寫詩，大量的詩，寫好再請教授修改。可惜後來大多散佚，或在受政治迫害時，被沒收到軍法處去了。

在日本進修一年多，暑假回台灣，順便切除顎部小腫瘤；九月赴英國，就讀Selly Oak Colleges（雪梨奧克學院）。該學院有教育部門、神學部門和理

赴英國 Selly Oak Colleges 進修時，與來自世界各國的同學合影。後排中立者即高俊明。

工學院，有資格成爲university（大學），但董事會仍決定保持原有名稱。學生來自德國、法國、瑞典、挪威、印度、菲律賓、台灣、日本、韓國等地，年齡不一，學經歷各異。有人已是議長，有人是教授；有的二、三十歲，有的五、六十歲。

多年後，大女兒黎香自台灣神學院畢業，也赴Selly Oak Colleges讀書，在那裡認識德國基督教聯盟議長Bishop Martin Cruse，聽說阿香來自台灣，姓高，他說：「我也認識一個姓高的人。」於是翻出他的小聖經：「妳看，他的簽名在這裡。」阿香說：「那是我爸爸呀。」

我赴Selly Oak Colleges，是黃彰輝牧師介紹的。戰前黃牧師留學英國，先去Selly Oak Colleges進修；彌牧師被國民黨政府驅逐，離開台灣，也回Selly Oak Colleges任校長。後來楊啓壽牧師、施瑞雲小姐、許天賢牧師等人，也曾赴該校深造，是一所與台灣淵源

高俊明出國深造兩年，麗珍帶慕源和黎香回台南高家居住，兩小孩拉小提琴和彈鋼琴合奏玩耍。

深長的學府。

我在Selly Oak Colleges讀了三學期，之後繞道丹麥、法國、德國、義大利等歐洲國家，參加研習會，參觀各地神學院校，再赴美國，總共去二十幾個國家訪問，才返回台灣。

休假前，女兒黎理尚未出生；一九六四年，我讀書回來，她已經一歲多。從小在叔伯舅姑群中長大，從沒見過爸爸。所以我剛回家時，黎理不認我，根本不讓我進房間。

第6部 三次聲明

戒嚴時期，公然與統治者唱反調，
隨時有被槍殺的可能。
我們充滿危機感，也都有毅然赴義的決心；
所以有好幾個人事先寫好遺言，
交代萬一遭遇政治迫害而死，
籲請大家基於信仰，
勇敢的愛惜台灣，繼續奮鬥。

北上總會

國民黨強烈要求長老教會退出WCC，威脅說：「你們如果不退出，後果嚴重。」對此，教會內部意見不一。長期白色恐怖之下，稍稍違背國民黨政策者，輕則被捕下獄，嚴重者甚至被槍殺。因此，針對WCC一案，反對者大多不敢公開反對；偏向政府的教會領袖，聲音比較大。

長老教會的組織事工

台灣基督長老教會，在組織上，引用新約聖經中教會的型態，以長老團治會，採民主代議的方式運作。長老是指專職牧會的牧師（教訓的長老）和由信徒中選出的代表（行政的長老）；各教會由牧師與長老們組成小會，是體制上治理教會最基礎的代議單位。牧師爲小會議長，是中會指派的代表；長

臺灣基督長老教會總會第三任總幹事高俊明牧師就任典禮
一九七〇年八月十八日

1970年8月高俊明獲選為總會總幹事，他並未預期將在此任職十九年。任內艱險不斷，且下獄四年餘。此照攝於台灣神學院，前排中坐者即高俊明牧師和牧師娘，前面蹲著的小朋友是黎香、黎理和慕源。

老則由會友選出，兩者共同組成小會。

中會則由區域內所有教會共同組成，組成條件以十五個以上之堂會，其中應有超過三分之一之教會有駐堂牧師爲要件；中會再組成總會，爲本教會之最高代議和治理機構，是全體教會的代表，也是宣教的總策劃單位。對內功能與職責，主要是協調各中會，監督屬下之機構，推動傳教師培育之工作，並從事法規的制定與修改，是最高行政機構；對外功能則是與其他教會團體的聯誼，和國際教會團體的互助與合作。母會是mother church，是指原先來此開拓宣教的教會，南部屬英國長老教會，北部源自加拿大長老教會。

到二〇〇〇年爲止，總會總共有一千二百一十六間教會，二十二萬名信徒，總會由十一個平地中會、九個山地中會，和七個族群區會所

組成；所謂區會，是指尚未能達到成立中會應有的條件者，包括蘭嶼、排灣、魯凱、鄒族以及客家，因語言、文化、種族或地理因素，無法與鄰近中會合併，自成一區會。

另外總會下有二十五個事業單位，二十六個事工委員會，前者如馬偕紀念醫院、彰化基督教醫院、新樓醫院、台灣神學院、台南神學院、玉山神學院，聖經學院、長榮管理學院、長榮女中、長榮中學、真理大學、淡江中學、台灣教會公報社、加利利宣教中心等；後者包括傳道委員會、原住民宣教委員會、客家宣教委員會、教育事工委員會、青年事工委員會、婦女事工委員會、松年事工委員會、教育音樂委員會、教會與社會委員會、社會福利慈善事業委員會、聯合大學理事會、普世事工委員會、培育委員會、神學教育委員會等。

外宣教合作教會及機構

世性教會協會

普世教會協會
世界歸正教會聯盟
亞洲基督教協會

世性宣教組織

世界傳道會
亞細亞福音宣教會
巴色差會
海外基督使團
基督教黎明啓傳道會
環球福音會

際性宣教合作教會組機

拿大長老教會
拿大聯合教會
國基督長老教會
國歸正教會
國聯合基督教會
國聯合歸正教會
爾斯長老教會
格蘭教會
韓耶穌教長老教會(統合)
國基督教長老會(基長)
日韓僑教會
督兄弟團
本基督教團
本耶穌基督教團
林福音教會(柏林宣道部)
國全國基督教會
華基督教會香港區會
大利亞聯合教會
西蘭長老教會
士新教聯盟
度長老教會
牙利歸正教會
律賓聯合基督教會
紹爾聯合基督教會

台灣人基督教會協會

國內合作單位

1.中華民國教會合作協會
2.中華民國聖經公會
3.中華民國基督教視聽聯合會
4.中華民國基督教論壇報社
5.基督教社會互談會
6.台灣基督教福利會
7.中國主日學協會
8.中華民國宗教座談會
9.基督教芥菜種會

總　會

總會長置委員會

北部大會

事工委員會

1.二○○○年福音運動推行中心
2.傳道委員會
3.培育委員會
4.總會牧師、傳道師委員會
5.牧師、傳道師在職暨退休福利委員會
6.客家宣教委員會
7.原住民宣教委員會
8.教會與社會委員會
9.教育委員會
10.神學教育委員會
11.大專事工委員會
12.青年事工委員會
13.婦女事工委員會
14.松年事工委員會
15.財務委員會
16.法規委員會
17.信仰與教制委員會
18.教會音樂委員會
19.教會歷史委員會
20.宣教師人事委員會
21.普世事工委員會
22.台語聖經新譯審議委員會
23.社會福利慈善事業委員會
24.台灣基督教長老教會聯合大學理事會
25.銓衡委員會
26.台灣族群母語推行委員會
27.台灣聯合神學研究院理事長

中會

1.東部中會
2.七星中會
3.台北中會
4.新竹中會
5.台中中會
6.彰化中會
7.嘉義中會
8.台南中會
9.高雄中會
10.壽山中會
11.屏東中會
12.太魯閣中會
13.阿美中會
14.東美中會
15.西美中會
16.排灣中會
17.泰雅爾中會
18.布農中會
19.中布中會
20.南布中會

區會

1.東部排灣區會
2.鄒族區會
3.達悟區會
4.魯凱區會
5.普悠瑪區會
6.賽德克區會

事業及教育機構

1.財團法人台灣基督長老教會
2.財團法人台灣基督長老教會宣教中心
3.財團法人基督教美國南長老會台灣差
4.財團法人山地宣道會
5.財團法人台灣省山地基督長老教會
6.台南神學院
7.玉山神學院
8.台灣基督長老教會聖經學院
9.長榮管理學院
10.長榮高級中學
11.長榮女子高級中學
12.彰化基督教醫院
13.新樓基督教醫院
14.台灣教會公報社
15.利巴嫩山莊董事會
16.謝緯紀念營地董事會
17.加利利宣教中心
18.松年大學
19.平安基金會
20.大眾傳播基金會
21.宣教基金會
22.台灣神學院
23.淡江高級中學
24.真理大學
25.馬偕紀念社會事業基金會
馬偕高級護理專科學校
馬偕紀念醫院

山雨欲來接任總幹事

一九七〇年七月二十七日，我被選為台灣基督長老教會總會第十七屆議長。議長係榮譽職，任期一年，負責主持議會；總幹事是專職，任期三年，負責執行和推動會務。先前謝緯牧師擔任議長，我是副議長；沒多久，謝牧師車禍去世，我接任代理議長。

總幹事鍾茂成牧師，是一位很注重靈修生活，也認眞解決會務的好人才。但因主客觀環境所迫，推動工作，常遇困難，深覺痛苦，於是辭職求去。

為了繼任人選，總會開會徵才。會議上，大家提名三、四人，但每個人都推卻。我身為議長，主持會議，於是建議：「如果這是苦杯，受提名者，請勿推辭。」

就因為這一句話，他們提名我，我無法推辭；他們選擇了我，我也無法推辭。

雙連教會陳溪圳牧師說：「騎馬的不做，要做馬讓人家騎。」指的是我在議長和總幹事之間的選擇。蔡培火先生對我很不諒解，訓斥我說：「在玉山神學院，做得好好的，出來這裡做什麼？」意思是教育工作很重要，來到總會，必定和政治牽連，很麻煩的。

我的想法是，如果是要緊的事，又沒有人肯做，人家希望我做，那我就做吧。上帝透過這些需要，表達對我的呼召，叫我去做別人不做的事。神學院畢業後，擔任原住民巡迴傳道，或接掌玉山神學院，一貫是這種想法。

一九七〇年八月十八日，我辭去議長，正式就任總幹事。之前，國民黨政府已強硬要求台灣基督長老教會退出普世教協，（World Council of Churches，簡稱WCC），教會面臨愈來愈艱難的考驗。

WCC是全世界最大的基督徒組織，成立於一九四八年，當時已有五億的基督徒成員。台灣基督長老教會認同普世教協的神學觀點，一九五一年加入成為會員，也是台灣唯一的會員。因為普世教協規定，信徒五萬人以上的教會，才有資格入會。當時，除了長老教會，台灣並沒有其他教派的人數超過五萬人。

六〇年代以後，中國共產黨漸漸得到中國人民的支持，並成為軍事強國。WCC認為，一個國家人口這麼多，武力這麼強，不應該被排除在國際社會之外，如果不將它納入聯合國，以國際規則約束，將對世界的公義與和平，造成負面的影響和巨大的威脅。因此，WCC建議聯合國，允許中國入會。

退出普世教協的始末

國民黨政府對此非常不滿，指責WCC「容共」，並要求長老教會退出這種「容共團體」。他們透過報紙等種種媒體，說WCC是容共、擁共。在以「殺朱拔毛、反攻大陸」爲基本國策的時代，長老教會就是容共、擁共，形同叛亂團體。國民黨政府更利用《角聲》和《福音報》等「御用」教會報，發動一波波的攻擊，來壓迫長老教會。

但我們認爲，全世界的基督徒，是一體的，有的生活在自由世界，有的生活在共產主義統治之下。教會關心所有受苦的基督徒，也關心中共統治下，受壓迫的基督徒。

長老教會一再向國民黨政府解釋立場，但他們拒絕接受，並於一九七〇年強烈要求長老教會退出WCC，威脅說：「你們如果不退出，後果嚴重。」

對此，教會內部意見不一。長期白色恐怖之下，稍稍違背國民黨政策者，輕則被捕下獄，嚴重者被槍殺的，所在多有。因此，針對WCC一案，反對者大多不敢公開反對；偏向政府的教會領袖，聲音比較大。

對此，我的立場明確，曾公開發言，長老教會組織很要緊的目標之一，是與全世界的教會，互爲肢體，相互聯絡。特別是國民黨政府統治下的台灣，

逐一退出國際組織，教會與世界的聯繫，更形重要。若要離開ＷＣＣ這種團體，我覺得很不對；因爲台灣基督長老教會相信，全世界的基督徒應合而爲一，形成一個基督教會。

一九七〇年七月總會召開年會。我身爲議長，是年會主席，主持會議進行，依議程，ＷＣＣ案的討論，排在較後面。我原本準備屆時呼籲：此事屬於信仰問題，我們是一個宗教團體，不能爲了政治理由，受政治壓迫，而退出ＷＣＣ。我希望能清楚表白這個立場，但能否被接納，我並無把握。

會議開始後，我恰好有要緊事，必須與別人私下商量，所以拜託副議長劉華義牧師代爲主持。結果我一離場，馬上有人臨時提議，把後面議程中的退出ＷＣＣ案，提前討論。提議通過，於是立刻討論，當時偏國民黨的人叫大家舉手，否則教會的處境，非常危險，不堪設想。案子就這樣快速通過了。

我回到議場，得知此案已經通過，非常痛心，但已無力回天。從那一年起，我更加努力與教會幹部和牧師，商量溝通，採取各種行動，以重回普世教協。直到一九八〇年，總會議決，希望再加入ＷＣＣ。我們去函申請時，ＷＣＣ表示從未將我們除名。我們終於名正言順又成爲普世教協的一份子。

反省教會信仰再出發

一九七一年，總會提出「重新闡明我們教會的信仰與信息」案，反省修正退出普世教協聲明書中的若干信仰立場：

一、我們相信基督是世界的盼望，唯一的救主。祂是仁愛、公義與一切良善的根源。宇宙萬物都藉著祂受造，受祂統治，扶持與審判。而祂的福音本是「上帝的大能」，因此不能認同為任何學說，主義及思想。除祂以外別無拯救，因為在天下人間，沒有賜下別的名，我們可以靠著得救。

二、我們相信唯一，聖而公同之教會。

教會是基督的體，是信祂為救主而向全世界宣揚祂的福音，且服務社會的人群。雖然我們於主後一九七〇年七月脫離了普世教會協會，但我們仍然相信在基督裡與全世界一切相信耶穌基督為救主的人有屬靈的團契，合而為一，形成聖而公同之教會。因為聖經說：「竭力保持聖靈所賜，合而為一的心。身體只有一個，聖靈只有一個，正如你們蒙召，同有一個指望，一主，一信，一洗，一上帝。」（以弗所四：3～6）

三，我們相信「公義使邦國高舉，罪惡是人民的羞辱。」（箴言十四：34）

我們要懺悔並靠主克服我們自己的罪過，也要反對唯物論、無神論與其他

一切不公義，不尊重人道的權勢。聖經說：「你當盡心、盡性、盡意愛主你的上帝」，也當「愛人如己」。（馬太福音二十二：37～39）因此我們要愛同胞、愛國家、愛人類。我們切望世上各國能高舉公義，造福全人類。我們必須經常為公義的施行，人類的自由與世界的和平而祈禱並努力。

四，我們相信在耶穌基督裡，人類有革新和睦與勝利的盼望。

在黑暗、混亂、惡道猖行的時代，我們確信主耶穌必與我們同在，直到世界的末了，並使仁愛、真理與公義得以實現。祂必摒除人類愚昧黑暗的心，而賜下重新正直的靈。在自私自利四分五裂的人類中，祂必賜下合睦與合一。主耶穌說：「在世上你們有苦難，但你們可以放心，我已勝了世界。」（約翰福音十六：33）基於這確信，我們要竭力宣揚福音，盡心服務人類。願「頌讚、榮耀、智慧、感謝、尊貴、權柄、力量，都歸與我們的上帝，直到永永遠遠。阿們。」（啓示錄七：12）

這篇類似信仰告白的反省，乃是台灣基督長老教會往後參與社會關懷和各種聲明的信仰根基。

第一次聲明

當時是一黨專制的恐怖時代，整個社會的氣氛苦悶而沈重；昨天的朋友，今日已成階下囚，你永遠不知道一覺醒來，會發生什麼事。辦公室被竊聽，家裡也竊聽。幾乎沒有一個地方是安全的。國民黨的態度是威脅利誘，雙管齊下。有時故意授你以特權、以利益，防不勝防。我們必須很謹慎的，很小心的，一件一件的拒絕。

外交敗退　台灣成國際孤兒

我原本以爲，總幹事三年任期屆滿，就可以回玉山神學院。我從沒想到總會總幹事的職務，一做就是十九年，其中包括坐牢的四年三月又二十一天。

戰後，國民黨政府從中國撤退到「反攻跳板」的台灣，標舉「漢賊不兩立」的旗幟，力行「賊來我退」的僵硬作風。二十年來，台灣逐一從國際組織離去，即將成爲國際孤兒。

七○年代，台灣在世界政治激流中，已無法立足。但國際社會沒有機會聽到台灣人民的聲音。多年來，他們只聽見國民黨政府一再重複的回音：一個中國……漢賊不兩立……

一九七一年，總會認爲，台灣已經無法逃避接踵而來的國際危機。第一個危機，一九七一年十月二十五日，聯合國接納中國取代台灣在聯合國的席位，中國成爲聯合國會員，並進入安理會；國民黨政府的代表，則被聯合國趕出來。

先前美國等國家與國民黨政府商量：「你們換個名稱，以普通會員資格，繼續留在聯合國。」但是一如往昔，蔣介石堅持「漢賊不兩立」，中國進來，台灣就出去。

第二個危機，是美國總統尼克森表示，他將訪問中國。

情況一日比一日危急。長老教會認爲，必須根據愛心，說誠實話，來替台灣人發言。所謂的台灣人，包括原住民、遷台幾百年的各族群，以及戰後隨蔣政權來台的「外省人」。

針對此事，一九七一年十一月十九日，「中華民國教會合作委員會」於東海大學召開會議。所有會員教會，包括長老教會、聖公會、信義會、衛理公

會、浸信會、門諾會、天主教會、東海大學、和許多基督教有關機構，均派代表參加。

會議中，台南神學院副院長彌迪理牧師提議：「台灣現時處在動盪的時局下，我們教會應基於基督教的信仰說話，不要緘默。」周聯華牧師和衛理公會的華納會督 Bishop Warner 發言支持。經熱烈討論後，大家一致通過以教會合作委員會名義發表聲明；並成立小組，以周聯華牧師、彌迪理牧師和羅愛徒牧師爲中心，共同討論和擬稿。周牧師是蔣介石士林官邸凱歌堂的牧師，但我認爲他爲人公正，也很能理解長老教會的想法。

宣言草稿擬好後，請各團體簽名。天主教說，他們不方便簽；聖公會說，他們不能簽；衛理公會、信義會也說，他們不能簽；大家都說不能簽。既然如此，會議開不下去。身爲教會合作委員會主席，我說：「既然如此，我把草稿帶回長老教會研究。我們不會迴避，將根據信仰和愛心，發表宣言。」

第一次聲明　提出國會全面改選

我把原稿拿回長老教會。大家一次又一次討論，刪除一部份，增添一部

份，修改一部份，一九七一年十二月二十九日，以台灣基督長老教會的名義，發表〈對國是的聲明與建議〉。該宣言以基督信仰爲基礎，重申尊重人權，台灣的住民有權決定台灣的命運，反對所有出賣台灣的行爲；並要求政府內政革新，以及中央民意代表全面改選。

〈對國是的聲明與建議〉全文如下：

台灣基督長老教會總會常置委員會，鑑於可能嚴重地威脅台灣地區全民生存的當前國際局勢表示深切的關懷。秉著耶穌基督是全地的主宰、公義的審判者、也是全人類的救主之信仰，我們代表二十萬基督徒，也願意代表我們的同胞的心聲，做以下的聲明與建議：

一、向國際的聲明

現居於台灣的人民，其祖先有的遠自幾千年前已定居於此，大部份於兩三百年前移入，有些是第二次世界大戰後遷來的。雖然我們的背景與見解有所差異，可是我們卻擁有堅決的共同信念與熱望——我們愛這島嶼，以此為家鄉；我們希望在和平、自由及公義之中生活；我們絕不願在共產極權下度日。

我們對於尼克森總統即將訪問中國大陸的事，甚為警惕。有些國家主張將

台灣歸併中共政權，也有國家主張讓台北與北平直接談判。我們認為這些主張的本意無異於出賣台灣地區的人民。

我們反對任何國家罔顧台灣地區一千五百萬人民的人權與意志，只顧私利而做出任何違反人權的決定。人權既是上帝所賜予，人民有權決定他們自己的命運。

二、向國內的建議

最近我中華民國在聯合國成為國際間政治交易的犧牲品，是有目共睹的，依此情勢繼續發展，我們恐難免像東歐諸國被共產極權壓迫的悲慘遭遇。為此我們呼籲政府與人民更加把握機會伸張正義與自由，並徹底革新內政，以維護我國在國際間的聲譽與地位。

最近政府一再強調起用新人，所以我們切望政府於全國統一之前，能在自由地區（台、澎、金、馬）做中央民意代表的全面改選，以接替二十餘年前在大陸所產生的現任代表。例如德國目前雖未完成全國統一，但因西德臨時制憲，使自由地區人民得以選出代表組成國會，此例可供我政府之參考。該國雖未成為聯合國會員，卻因這種革新政體而贏得國際上的敬重。

我們相信這種革新與改進，必能使國際人士及本國人民，感到確有公義的

保證和內在的和諧。

台灣基督長老教會
總會議長　劉華義
總幹事　高俊明
一九七一年十二月廿九日

跟監錄音　國民黨緊迫盯人

〈對國是的聲明與建議〉一發表，國民黨政府非常震怒，迫害或急或緩而來。戒嚴時期，公然與統治者唱反調，隨時有被槍殺的可能。我們充滿危機感，也都有毅然赴義的決心；有好幾個人事先寫好遺言，交代萬一遭遇政治迫害而死或如何如何，籲請大家基於信仰，愛惜台灣，勇敢繼續奮鬥。

爲了安全考量，從頭到尾，教會內部的參與者，一概保密，共同承擔。當然，每一次宣言，都是以總會議長與總幹事的名義共同發表，我既身爲總幹事，必須負全責。我也寫有遺言，放在抽屜裡。但我都無法事先告訴麗珍。

當時是一黨專制的恐怖時代，整個社會的氣氛苦悶而沈重；昨天的朋友，今日已成階下囚，你永遠不知道一覺醒來，會發生什麼事。電話竊聽，辦公

上：位於台北市長春路的台灣基督長老教會總會舊址。在此，總會發出了震撼海內外的三次聲明。

下：1972年，第十九屆總會於淡江中學召開。此照左起：總幹事高俊明，副議長姚正道，議長胡茂生，書記王再興，副書記王南傑。

室竊聽，家裡也竊聽。幾乎沒有一個地方是安全的。

長老教會總會事務所當時位於台北市長春路的公寓，我們住四樓宿舍。有一天早上，方才睡醒，尚未下床，突然想起什麼要緊事，我就對麗珍交代一番。隔了幾天，我進房間，突然從隔壁棟的緊鄰房間傳來一陣錄音的聲音，聽起來很清楚，就是前幾天我和麗珍在床上說話的內容。我嚇一跳。竟然連在寢室所說的話，也被錄音了。

從此以後，我更加緊張，更加防備，討論重要事情，躲這裡，躲那裡。普天之下，好像沒個清淨的地方。有一次，我和周聯華牧師商量事情，故意離開辦公室，找家咖啡館，邊喝咖啡邊談論。不多久，就發現隔幾張桌子有人很注意我們。周牧師很警覺，立刻說，我們換個地方。

還有一次，日本基督教團代表來訪，問起近況，我說：「我們出去外面。」兩人走在馬路上，一邊走一邊談。不能在辦公室談，不能在公共空間談，不能在計程車上談，只能邊走邊談。可見當時氣氛之恐怖。

國民黨中央黨部社工會，有管宗教的單位；內政部民政司，也有管宗教的單位；當然無所不在的情治系統，也有管宗教的理由。忽而這個單位，忽而那個單位，調我們去「管」一下；有時他們不請自來，到辦公室問東問西。

還有所謂的線民，教會的牧師、幹部、長老，執事和會員，成爲國民黨的線民，充當他們的工具。我們時刻活在監視之下。

威脅利誘　一件件小心拒絕

國民黨的態度是軟硬兼施，威脅利誘，雙管齊下。唱黑臉時，說：「你再不和政府配合，教會將遇到種種困難……」。唱白臉時，說：「如果教會能和政府多多合作，國民黨也可以和你們合作，大家各方面都能得到好處……」。這種事情屢見不鮮。

有時，他們請外教派的代表來講話：「高某某，你現在如果要出國，很困難。我已經替你安排好，可以參加ＩＣＣ的國際會議，出入境和簽証沒問題，費用也不必負擔，一切我們張羅。請你來參加。」這是利誘。他讓你出國、替你出錢，沒要你替政府講什麼話。

ＩＣＣ，International Council of Christian Churches，國際基督教協會，是在美國的一個教會機構，以絕對反共、反黑人、反閃族著稱，也非常反對ＷＣＣ。ＷＣＣ召開國際會議，ＩＣＣ就叫人去那裡舉牌子抗議。我擔任長老教會總幹事，應該堅持我的信仰原則，所以就謝絕了。

有一次，天主教教宗要訪問菲律賓。國民黨中央黨部找我談，說他們商量後，決定請長老教會總幹事，就是我，拿故宮博物院的國寶級禮物，送給教宗。旅費和其他手續，國民黨代辦，我負責送禮，無須爲國民黨說好話或做什麼事。

我也不能接受。我的想法是：代表國家，送禮物給教宗，表面上看來，不能說不對；但基本上長老教會的信仰立場，與國民黨大不相同。如果接受這種任務，護送如此貴重的禮物，當面送給教宗，我就會逐步墮落，變成國民黨的御用牧師。因此，我又謝絕了。

這種情形，比比皆是。國民黨故意授你以殊榮、以特權、以利益，防不勝防。我們必須很謹愼的，很小心的，一件一件的拒絕。

第二次聲明

一九七五年，台灣的國際關係持續惡化，國民黨政府對內加緊壓迫。
宗教方面最具體的壓迫，就是沒收台語聖經事件。此外，加強對長老教會的滲透與分化，並利用各種媒體，抹黑長老教會。
雖然路途驚險，但時局逼迫，更不能不站出來誠實說話。為此，總會乃於一九七五年，發表〈我們的呼籲〉。

國是聲明　引發台灣自決運動

〈對國是的聲明與建議〉的第一個祭品，就是彌迪理牧師。
國民黨政府以「不友好人士」爲由，拒絕發給簽証，要求他簽証期滿後，立刻出境。一九七二年三月五日，長老教會在台南市太平境教會，爲彌牧師舉行盛大的餞行禮拜。
彌牧師以流利的台語致謝詞，他說：「…今天可說是我的告別式，謝謝大

彌迪理牧師被迫離台，十餘年後才獲准歸返台灣。與高李麗珍、黎香攝於義光教會。

家來參加我的葬式…我既然死了，就不應該死豬鎮砧…我有一件事至今想不透，爲什麼很多台灣人和外省人，不要住台灣而要出國，政府偏偏強要他們住下去，不准他們出國；反之，有很多像我這樣心愛台灣，要住在台灣的台灣人和外省人，政府偏偏不准他們住下去，強迫他們出去……」

在餞行禮拜中，我則以馬太福音五章十節：「為義受逼迫的人，有福了。」與大家互勉。

三月十一日，台南神學院師生列隊，送彌牧師夫婦從東門路的校園到台南火車站，全體師生並於火車站合唱「咱要出頭天」（We shall overcome），在眼淚與歌聲中揮手相別。當時縱貫線上，火車所經各站，都有長老教會的信徒，歡送這位關心台灣命運的「外國人蕃薯仔心的台灣人」。彌牧師被逐後，每年都向當局申請返回

台灣，但每次申請，都沒有回音。據說他回國後，每當念主禱文或做夢時，都還用台灣話呢。

〈對國是的聲明與建議〉的發表，震驚海內外。當時黃彰輝牧師人在瑞士日內瓦，負責普世教協的神學教育委員會。黃牧師曾任台南神學院院長，與兩屆總會議長；在長老教會總會史上，只有他當過兩屆議長，可見貢獻之大，聲望之隆。他於任內，完成台灣長老教會一百周年的倍加運動，自覺應該將新世紀的傳教使命，交棒給第二代；一九六五年，他獲WCC之聘，掌理世界神學教育委員會，才離台赴歐。

黃牧師因〈對國是的聲明與建議〉大受感動，趁著往返歐洲、美國洽公之餘，呼籲當地的台灣人，必須關心台灣前途，努力改變台灣命運。一九七二年底，紐約和芝加哥首先發起簽名運動，向國際宣示，「自決」的要求是全體台灣人民的意願。這就是後來的台灣人民自決運動。

一九七三年三月十九日，黃彰輝牧師和黃武東牧師、林宗義教授、宋泉盛牧師等四位發起人，邀請美國、加拿大各地代表二十一人，齊集華盛頓，檢討世界局勢和運動方針，並公開發表〈台灣人民自決運動宣言〉，爭取台灣人民決定自己命運的神聖權利和自由。

1987年，台灣基督長老教會總會邀請黃彰輝牧師返台開會，此時黃彰輝離開台灣已二十二年。左起黃武東牧師、林宗義教授、黃彰輝牧師和高俊明牧師，都是七O年海內外台灣人自決運動的掌旗者。

從此黃牧師成爲國民黨的黑名單人物，不准返鄉；直到一九八七年，透過當時李登輝副總統的協助，才從黑名單抹去，應長老教會總會邀請，返回他闊別二十二載的故鄉。

迫害宗教　警總沒收台語聖經

我的助理總幹事包佩玉(Miss Elizabeth Brown)，是英國派來的女宣教師，充當我們與世界的重要橋樑。她的台灣話和中文，都非常好，也會講一些簡單的日語；外國人來訪，或我們與外國聯絡，她都能做立即而準確的翻譯，使溝通毫無阻礙。在資訊封閉的鎖國時代，她的幫忙，顯得特別重要。

總幹事第一任任期結束，我認爲應該交棒。可是總會的朋友卻認爲，國是聲明發表後，時局正亂，教會也亂，這時換領導人，有所不

妥。他們說：「在種種政治迫害中，你必須繼續挺立」。雖然精神壓力大，繼任好像成了責任和使命。於是，在總會議會中，我以絕對多數的選票，連任總幹事。

一九七五年，國際情勢持續惡化。美國總統福特宣布即將訪問中國，國民黨政府對外毫無作爲，對內則加緊壓迫；宗教方面最具體的壓迫，就是沒收台語聖經事件。

一九七五年一月，國民黨政府藉推行國語運動的名義，警備總部官員率台北市警察局警員，侵入聖經公會，沒收新譯的新約聖經一千六百三十八本。而先前，泰雅族原住民在做禮拜時，也遭當地派出所主管率員闖入教會阻止禮拜，並沒收泰雅語聖經與聖詩。稍後，又宣布查禁長老教會使用的台語羅馬拼音聖經和新譯台語聖經，並宣布此舉「與宗教自由無關」。

沒收聖經事件，引起海內外譁然。一九七五年四月，第一次召開的總會常置委員會決議委託聖經公會與常委，積極向有關單位交涉，希望發還被查扣的聖經和聖詩，並要求當局允諾教會自由出版所需要的任何語言之聖經和聖詩。

一如往昔，國民黨非常不高興，一再叫我們去說明爲何要如此「讓政府難

看」。我們一再解釋：「民主國家不應該有宗教迫害，也不應該禁止人民使用母語。沒收聖經是非常嚴重的事情，無法默默忍受。」國民黨急了，強迫我們再聲明，說他們沒有沒收聖經。

國民黨除了盤問，還要求我們不能再發表「不利政府」的聲明，說「政府的事情由政府決定，教會只須認眞傳道、認眞祈禱即可。」

他們並加強對長老教會的監視、滲透、分化和控制；另一方面，他們也利用各種媒體，抹黑長老教會，說我們是叛亂份子，是共匪的同路人。

第二次聲明　關懷公義與人權

雖然路途越來越寂寞、越驚險，但時局逼迫，更不能不站出來誠實說話。爲此，總會於一九七五年十一月十八日，發表第二次聲明〈我們的呼籲〉，全文如下：

自從一九七一年台灣基督長老教會發表國是聲明後，曾引起國內外人士之重視與強烈的反應。國是聲明之發表，乃基於我教會對國家命運之關心。儘管有部分人士對國是聲明加以誤解和抨擊，然而我教會仍憑信仰良心以告白教會之堅定信仰。

幾年來，我教會一直堅持國是聲明的原則與信念，一再主張任何世界強權不得宰制我國家之命運；唯有我們自己的人民，才有權利決定自己之命運。我教會也迄未曾改變初衷，深信唯有徹底實施憲法，革新政治，才能建立符合民主精神的政府。我教會從不鬆懈為達此目標而努力。

時局變化莫測，我國家正陷於外交孤立，面臨世界經濟危機之際，教會不該苟且偷安，放棄先知的職責。我們知道若只有歌功頌德，實不足以表達教會的愛國心，也無法協助政府解除當前之困難。唯有以愛心說誠實話，積極關心我國政治前途，才能協助建立開放、民主、公正、廉能之政府。

鑒於國家正處危急存亡之秋，教會更應擔負國家存亡之責任，坦誠地向政府表明我教會的立場，提出對國是之意見；同時呼籲教會摒棄本位主義的心理及祇重視個人得救的觀念，為了挽救國家的危機，應精誠團結，成全教會為維護公義、自由、和平的任務，使教會堪稱時代的基督忠僕。

因此，我們呼籲政府重視下列幾項與國家命運息息相關的問題，並促請政府接納我們之建議：

一、維護憲法所賦予人民宗教信仰之自由

在自由世界各國的人民，都享有充份的信仰自由；尤其每一個人應享有自

由使用自己的言語去敬拜上帝，以表達個人的宗教信仰。

不幸，聖經公會所印行之地方語言之聖經竟遭查扣取締，此事件發生後震驚海內外。有關當局以方言聖經構成違反推行國語政策為由加以取締。然而，一國之政策絕不能抵觸憲法之基本精神。如今，雖經數度交涉已發還舊版白話字聖經，然而我們陳情政府為維護憲法上的信仰自由，發還新譯白話字聖經，並准予繼續出版任何語言之聖經。

二、突破外交孤立困境

自從我政府退出聯合國之後，我國外交突陷孤立困境。現在政府正鼓勵民間各界積極推展國民外交，以促進文化、經濟的交流。故我政府應該准許教會自由參加普世教協等國際性教會組織；我們不能因世界教會組織中少數不同之意見，而放棄參與國際性教會組織的機會。

三、建立政府與教會間之互信互賴

不可否認的，教會是協助國家進步安定的一股強大力量。政府與教會之間應保有互信、互賴之精神。互信與互賴之關係乃建立在彼此尊重之基礎上。

我們建議政府應與教會當局取得直接關係，彼此坦誠就國家前途與社會的改革交換意見，才能促進教會與政府之互信與互賴。

四、促進居住在台灣人民的和諧與團結

此時此地，不應有省籍黨籍之分別，分黨結派，破壞團結，導致不幸與分裂。面臨當前困難局勢，只有同舟共濟，才能挽回危機。為了消除省籍黨籍之差異，不應存有彼此之優越感，國民應享有權利與義務平等之機會。我們畢竟是同住在這一塊土地上生活之同胞，所以應以互諒互助及互相接納的態度對待。

五、保障人民的安全與福利

台灣經濟快速成長發展，固然帶來了社會繁榮，也帶來了人性墮落、道德頹廢、公害猖獗、貧富懸殊，治安問題益形嚴重。教會基於保護人性尊嚴之使命，呼籲政府加強社會發展，針對社會風氣之敗壞、貧窮、貪污、治安及公害諸問題，採取有效措施，以保障人民之安全與福利。

為了負起教會的時代使命，我們也呼籲教會注視當前所面臨之問題。我們祈求聖靈幫助我們、引領我們，使教會真實發揮先知與祭司的角色：

一、發揚誠實與公義之精神

教會身處困境，常常失去了誠實的良心，極力避免得罪別人，怕惹麻煩，

因此對社會公義的問題缺乏敏感，只是企圖顧全自己利益。教會最感痛苦的一件事，是昧著良心說謊話。教會如果缺乏誠實與公義，將導致癱瘓。基督的精神無時無刻成為我教會反省之原則。

二、促進教會內部的團結與堅守教會立場。

近幾年來，教會的不斷分裂，威脅到教會整體的生存；分裂主義的思想深深地滲透教會，嚴重危害教會團結。教會針對內部紊亂的實際問題，必須重視秩序的遵守及法規的維護。我們主張任何破壞教會秩序與團結之行為，必須受到嚴厲制裁。

造成教會混亂的現象，乃由於教會失去了正確的信仰立場。我教會的傳道人與信徒由於信仰不堅，對自己教會失去認識，常常受到其他團體擺佈。這種任人擺佈的結果，往往是由貪小便宜之心理所造成的。教派間之互助合作是理所當然的。但我們必須先認清自己的原則，顧及教會的秩序與法規，而且教會之合作，必須基於互相的尊重才能達成。

三、謀求教會的自立與自主

教會經過一百十年的歷史，雖然在地方教會已達到自立的成果，但整個總會來說，我們仍然是「接受的教會」。今後我們應努力從接受的教會轉變為

「給予的教會」。教會的自立不僅限於經濟，尤其在宣教上，我教會應從依賴差會的時期，進入自立互助的時期。藉著互助的關係，我教會始能體驗分擔世界教會的責任。教會必須把握其應有之自主性，站在超然的立場，宏揚上帝的公義，並維護自由與平等。

四、建立與全世界教會密切的關係

教會之所以分裂，乃是由於缺乏普世教會之信念。按我教會信仰告白，我們相信教會是聖而公的教會，全世界教會應該尊重異己，彼此接納，達成合一的理想。

近年來，有某些教會人士從事破壞我教會與世界教會之關係。我們呼籲教會嚴密注意這種破壞教會合一的行為。同時對於這種破壞行動應加以阻止與譴責。

五、關心社會的公義問題與世界問題

教會必須成為公義、真理的僕人；教會存在的目的，也是為達成傳達上帝愛的信息。因此，教會必須憑著赤誠的愛心進入到社會現實生活，藉服務改變社會的現況。

今天的世界充滿著不義及戰爭的恐怖。由於人類的自私，造成世界人類莫

大的痛苦。世界飢餓問題、人口問題及人權問題仍急待關心與解決。我教會與全體教會站在同一線上伸手相助，使上帝的愛真正普及於世。

在此時代，教會無法保持緘默，坐視世界之沈淪。教會除了參與傳揚福音使人悔改信主之外，必須表達對整個國家社會及全世界人類的關懷，才不辜負上帝所交託之使命。

台灣基督長老教會
總會議長　王南傑
總幹事　高俊明
一九七五年十一月十八日

從第一次聲明之後，我們深切明白，教會合作委員會絕對不可能與長老教會共同發表聯合聲明。我們必須覺悟，長老教會要負起全部責任。第二次聲明，乃至以後的諸多聲明和行動，一貫都是長老教會自行發起和負責；如同第一次聲明，是長老教會內部的集體行動，秘密名單，秘密撰稿，最後由總會議長和總幹事具名發表。

二十幾年後，回顧來時路。赫然驚覺，我們所呼籲、所要求的，其實只是

最基本的人權，最起碼的生存條件。爲了這些基本的權利和條件，許多人以沉默反抗高壓，許多人戮力以赴，許多人抵死不屈，也鋪陳了往後的歷史篇章。

第二次聲明

國民黨千方百計，阻止總會通過人權宣言。他們希望我離開台灣，移民或出國，他們願意替我辦妥所有手續。

我說：「我的使命不在那裡。」

他們繼而要求：「你若不出國移民，在台灣，就別到山地演講、去教會傳道、或發表宣言。」我說：「我的使命就在這裡。」

歷經風雨　不了解政治現實

說來難以置信。由於職務的關係，我歷經了許多直接與間接的政治事件；但以嚴格的定義來說，我並未涉足、參與政治，也不了解政治的現實。

一九七五年，蔣介石去世。雙連教會奉命舉行聯合追思禮拜，指名我主持和講道，整個雙連教會座無虛席。講道中，我對蔣介石有很好的評價，說他是一個虔誠的基督徒。

追思禮拜結束，鄭兒玉牧師和侯書文醫師找我講話。他們很疑惑：「你怎

麼在講壇上講那些話？」他們說，你勇敢批判國民黨，勇敢發表國是聲明，爲什麼又把蔣介石講得那麼好？

當時在台灣，有關蔣介石的資料和傳記，都是正面的、妝扮過的、美好的臉孔。我完全不知道他在政治上的腐敗，在人權上的迫害……我把基督徒蔣介石和國民黨，分別觀看，分別評價。鄭兒玉牧師和侯書文醫師的一番話，對我是很大的震撼；我想這些好朋友，對我說這些話，必然有其道理。

後來我有機會出國，試著找尋有關蔣介石的史料，才對他有一個比較正確的認識；對他的種種作爲，也有比較廣泛的了解；才發現，他是否眞正信仰基督教，都是很大的問號。

一九七七年，時局持續惡化，內外都是風風雨雨，國民黨也加緊對長老教會的分化和控制：利用滲透進來的基督徒，或比較親近國民黨的基督徒，在內部批評總會，取得影響力，要求或禁止牧師做某些事情，要求長老執事遠離總會等等。

更嚴重的是，八月二十二至二十六日，美國派國務卿范錫訪問中國，進行外交正常化的談判。如此一來，美國與台灣斷交、第七艦隊撤離台灣海峽，勢所當然；台灣的安全，陷入立即的危險。

第三次聲明　提出台灣獨立

長老教會總會認爲，勢至如今，爲了台灣人民的生存，我們的呼籲不能僅止於要求自決，必須更進一步要求台灣獨立，表達台灣人民的心向。因此，一九七七年八月十六日，我們再度發表〈台灣基督長老教會人權宣言〉，那就是石破天驚的、史無前例的聲明，要求政府採取有效措施，「使台灣成爲新而獨立的國家」。那是國民黨統治四十幾年來，台灣島內第一次公開提出台灣獨立的主張。全文如下：

台灣基督長老教會人權宣言
——致美國卡特總統、有關國家及全世界教會

本教會根據告白耶穌基督為全人類的主，且確信人權與鄉土是上帝所賜，鑑於現今台灣一千七百萬住民面臨的危機，發表本宣言。

卡特先生就任美國總統以來，一貫採取「人權」為外交原則，實具外交史上劃時代之意義。我們要求卡特總統繼續本著人權道義之精神，在與中共關係正常化時，堅持「保全台灣人民的安全、獨立與自由」。

面臨中共企圖併吞台灣之際，基於我們的信仰及聯合國人權宣言，我們堅

決主張：「台灣的將來應由台灣一千七百萬住民決定。」我們向有關國家，特別向美國國民及政府，並全世界教會緊急呼籲，採取最有效的步驟，支持我們的呼聲。

為達成台灣人民獨立及自由的願望，我們促請政府於此國際情勢危急之際，面對現實，採取有效措施，使台灣成為一個新而獨立的國家。

我們懇求上帝，使台灣和全世界成為「慈愛和誠實彼此相遇，公義與平安彼此相親，誠實從地而生，公義從天而現的地方。」(聖經詩篇八十五篇十至十一節)

台灣基督長老教會
總會議長　趙信悃(出國中)
總會副議長　翁修恭(代行)
總幹事　高俊明
一九七七年八月十六日

這是台灣史上的里程碑。我們從要求人民自決，到清清楚楚標示台灣獨立。

無懼施壓　我的使命在這裡

〈人權宣言〉發表後，隔年四月，總會將於台南神學院召開。該次總會，正值總幹事四年任期屆滿，必須改選；二來，總委會也必須提案，將人權宣言正式納入總會記錄。

國民黨獲悉，千方百計阻止。先是情治人員來找我，要我不再接任總幹事，也不要將人權宣言納入總會正式記錄。他們希望我離開台灣：「移民或出國任職，去美國，或隨便哪個國家……」他們願意替我處理財產問題，辦妥所有手續。我說：「我的使命不在那裡。」他們繼而要求：「你若不出國移民，在台灣，就別再到山地演講、去教會傳道、或發表宣言。」我說：「我的使命就在這裡。」

這個方式行不通。國民黨繼而透過教會內部加以阻擾。

一九五一年，長老教會南北合一。南部大會取消，但北部大會由於某些理由仍然存在。人權宣言發表後，起先，國民黨透過北部大會親國民黨的牧師與長老施壓，後來又收買一些牧師，同聲反對人權宣言。最典型的，就是國民黨提供經費，由他們辦一份《聖經與信仰》的刊物，來攻擊長老教會。

我們得知此事，趕緊開會，和北部大會的幹部商量。討論時，我們拿起議

員名單，一個一個核對，評估其態度支持或反對。怎麼計算，都是反對比支持的多。我們幾人內心酸楚，哀傷不已；事情至此，我們也無能爲力，言盡淚落。終於圍坐祈禱，懇求上帝幫忙。

隔天，北部大會召開。與會的人，一一起身發言，反對人權宣言。理由不外乎國民黨那一套說法，什麼教會熱心傳道理、熱心服務社會即可，無須介入政治；千萬不可和政府唱反調，以免惹來麻煩，遭受迫害，反而影響傳教云云。

他們講得頭頭是道，眼見就要封殺人權宣言。當時台灣神學院總務主任陳學源長老站起來發言，他說：「値此情勢，我們基於信仰，基於疼愛台灣人民的心情，才勇敢發表人權宣言；如果我們繼續保持緘默，將來美國與中國建交，中國進一步併呑台灣，也是有可能的。我們果眞要緘默嗎？果眞不能發表我們的想法嗎？」

陳學源長老的一席話，完全扭轉局面。立刻有人相繼起身，表示陳長老的話很有道理，總會的做法，實在是爲了整個台灣人民的人權與自由。

最後付諸投票，六十五人贊成，十三人反對，北部大會絕對多數贊成人權宣言。這是國民黨和長老教會總會，都始料未及的。

內外夾殺　人權宣言過險關

於是國民黨動員所有方式，打算阻止總會通過人權宣言。開會前，他們使用各種名目，邀約各地的總會議員，提供免費的交通和膳宿，致贈手錶、領帶、皮帶等禮物：「請你們去看看政府的十大建設。」這形同一種特權和收買示好，因爲當時一般人無法參觀十大建設。有些議員應邀前往，他們認爲，參觀是參觀，投票是投票；接受招待，不一定就是支持國民黨。

但也有很多代表，堅決不肯接受款待參觀十大建設；特別是原住民當中，有很多有氣魄的議員，明知道國民黨派專車在山下等候，他們寧可繞遠路，翻山越嶺，走別的路，直接參加總會。

以上是利誘。另外還有威脅，說如果通過人權宣言，政府勢必捉人，教會勢必遭逢困難。又派人在台南附近一所學校，召集五十名議員，每人發一千元台幣，囑他們要在議場中發言反對、投反對票，並監視其他議員的舉動。

此外，國民黨透過內政部專員，與教會內部人士友好，說要充當政府與教會之間的橋樑，一個個各取所需的控制。國民黨中央黨部並透過花蓮縣長柯丁選來遊說，說：「這條路很危險，你們就稍微轉個彎，繞道就好了。如果硬要闖關，不肯妥協，麻煩就大了。」

總會召開時，直到表決前，國民黨還派四名官員親臨現場，包括高雄市民政局長黃麗川等人，名義上是「請安」，卻向我們一再強調：「千萬不要通過人權宣言，此事對國家不利、對教會不利，教會只要專心傳道理就好。」會場氣氛非常緊張凝重。直到投票前，還有人站起來反對人權宣言。他們能言善道，加上長期白色恐怖，我們對議員的心會被拖往何處，完全沒有把握。

幸好議長翁修恭牧師主持會議，他與王南傑牧師等人商量，把原本的舉手表決方式，改為秘密投票。當場宣佈，議員到投票箱投票，不再於自己座位上投票，以免旁人監視。他把投票箱置於講台前，讓議員分批前往投票。沒有人能監視，大家可以依照良心投票。

投票過程中，陳博誠牧師等人大聲吟唱當年馬丁路德宗教改革時的詩歌，聖詩三二〇首，〈上帝是我的安全要塞〉。全場充滿出征的意志，大家邊走邊唱，一邊流淚，無視兩旁的監視和威脅；大家確信自己疼愛鄉土、疼愛國家、疼愛人民，所以不畏險阻的投下這一票。

該屆總會中的另一重要議案，是票選繼任總幹事，我是唯一由總會常置委員會提名的總幹事人選，需經總會票選通過才可。票選總幹事和接納人權宣

言兩案，前後分別投票，經仔細唱票和計數，反對的票數都一致，四十九票。贊成我繼任總幹事者兩百五十五票，贊成接納人權宣言案，有兩百三十五票，是壓倒性的勝利。

前面提到，國民黨控制的反對者應是五十人，爲什麼反對票都是四十九票呢？原來其中一人良心發現，跑來告訴我們國民黨的種種陰謀，眞相才得以大白。

友人相救　逮捕日逃過一劫

人權宣言通過後，漸漸有消息傳出來，說要逮捕我了。有一個在美國的朋友，透過他信賴的友人，親自送信來；來人不報姓名，送了信，立刻離去。信上說「幾月幾日捉人，要知所準備。信讀完之後，隨即燒毀。」很像間諜電影的情節，當時的情形就是如此。

果然，場面火火熱熱起來。門口站有三、四個便衣警察，二十四小時監視；我一跨出大門，他們就緊迫盯人，隨侍在側。無論我去開會、講道，或做禮拜，他們如影隨形，毫不放鬆；我回到家，他們又跟著杵在門口。

接近預定逮捕的日子，情勢顯得相當危急。有一個禮拜六晚上，有人按門

鈴，說要「臨檢」。麗珍問：「只臨檢我們這戶嗎？」警察說，家家戶戶都臨檢。

警察進門後，要求檢查每間房間。有一間小臥室，住著堂姑，麗珍說：「小姐睡著了，不能開門。」警察說，不行，每個房間都要開。

我很生氣，指著每個房間說，這是廁所，這是廚房，要看統統都給你看。

隔天是禮拜天，鄰居來抱怨，說昨晚警察按錯門鈴，跑進他家說要臨檢，發現走錯門，立刻又撤離。他停在我家門口的汽車，駕駛座放了工廠的樣品資料和相機，全被偷走了。

轉角正在蓋房子，便衣警察借那裡就近監視。我家小孩調皮，當時才讀小學和初中，爬到窗口張望，便衣就躲起來；過一會兒便衣出現，小孩又從窗口探頭，像貓捉老鼠的遊戲。

我赴教會做禮拜，參加牧師的就任式，便衣依例緊跟在旁。禮拜結束，去餐廳吃飯，他們也跟著去，坐在另一桌。

當天午後，美國宣教師花祥牧師、花可玲師母（Mr. & Mrs. Dan Whallon）和包佩玉姑娘一行三人開車到我家，一人看車，兩人閃身進屋來，對我們說：「日常用品整理一下，我們出門去，就當做一次短暫的旅行。」麗珍

說：「可是火雞才烤好，孩子怎麼辦？都來不及交代。」他們說，沒關係，先走再說，到時再聯絡。

中途麗珍想下車聯絡親戚去照料小孩，花牧師說不要，後面有車子跟蹤。花牧師搶黃燈、繞遠路，試圖擺脫跟監，一路開進草山仰德大道的台灣神學院。學校不久前才遭竊盜，師生輪流在校園巡視，因此纏住跟監的車輛，問東問西，問他們找誰？便衣說：「找在此讀書的朋友。」學生問：「姓名為何？通報一下，我們幫你進去找。」便衣當然答不出來。學生又說：「最近學校遭竊，你們如果沒別的事，最好離去，否則我們就要報警了。」便衣只好訕訕然離開。

花牧師是美南長老教會差會的會計，花可玲師母是長老教會總會的英文秘書，接納我們住他們的宿舍。麗珍安排六妹勝恩帶小孩去延吉街她家住。我們住花牧師家期間，看他們每天除了上班，就是讀書和祈禱，為台灣、為所認識的台灣教會友人一一唸名祈禱。他們上班時，還特別安排其他宣教師輪流來陪伴我們，預防萬一發生意外時，有人同在。有一天休假，還開車帶我們赴金山野柳兜風。

我們突然失蹤，海內外電報和電話不斷，都在關心我們的安危，問：「牧

師是不是平安？是不是被捉了？」國民黨受不了壓力，派人傳話給花牧師說：「好了，這一次不捉他了，叫他回去上班。」

舊日遺言　完成使命榮歸主

我找到的舊日遺言，落款正是發表第三次聲明的同一天。內容如下：

遺言

我無論遇見何種慘事來離世，也應當感謝讚美上帝。因為祂的旨意是美善的，祂的慈愛永遠長存。我也由衷感謝主耶穌，是祂赦免我的罪，祝福我，差遣真理的靈，帶領我並使我有光榮與祂同受苦的。祂並將永遠的生命賜給一切真正信靠祂的人。

我的追思禮拜應簡單、樸素、莊嚴。我最喜愛的聖經節是哈巴谷三章十七至十九節（註一）。我愛吟的是台灣聖詩第六首（註二），第二五五首（註三），第二五八首（註四）等。

我的遺體請贈送給彰化基督教醫院，以報答老蘭醫生對先父高再得醫師的恩愛。

我的遺產的一半要贈與台灣基督長老教會總會，作為傳道、教育、保障人權、社會服務及教會行政之用。特請將其中之一半捐給玉山神學院及山地教會。

我甚感謝內人高李麗珍。她的犧牲、理智、堅忍、信心、愛心，大大的協助了我完成使命。

但願慕源、黎香、黎理以及全體親人朋友都能愛台灣、愛世界、愛和平，來榮耀上帝，造福人類。阿們！

高俊明

主后一九七七年八月十六日

註一：哈巴谷書第三章十七節至十九節

雖然無花果樹不發旺，葡萄樹不結果，橄欖樹也不效力，田地不出糧食，圈中絕了羊，棚內也沒有牛，然而我要因耶和華歡欣，因救我的上帝喜樂。主耶和華是我的力量，他使我的腳快如母鹿的蹄，又使我穩行在高處。

註二：聖詩第六首　主耶和華是我牧者

主耶和華是我牧者，我無欠缺一件，

青翠草埔使我居住，導至安靜水邊。
使我靈魂精英醒悟，導我行義的路，
我雖行過死蔭山谷，免驚死亡凶惡。
雖有危險免驚災害，因爲我主同在，
用您的棍顧守保庇，用枴安慰扶持。
對敵面前排設筵席，使我各項足額，
在我頭殼用油來抹，使我之杯滿滿。
恩典慈悲的確跟我，至盡一世無息，
我欲永遠快樂安住，在耶和華之厝。阿們。

註三：聖詩第二五五首　我有保護者在身邊

我有保護者在身邊，雖然看不見，永無離，

誠實拯救人，無變換，全能的主宰耶和華，
祂肯，我就得大恩惠，恩典欲降落如露水，
拯救的城牆在包圍，保守主所愛眾子類。

上主歡喜聽我祈禱，做我大牧者永保護，
一切倚靠主來排比，冥日將萬事交托您，
主做我日頭與屏牌，冥時就無暗無掛礙，
光陰眞快過如射箭，只有催迫我愈近您。阿們。

註四：聖詩第二五八首　你若甘願使上帝引導

你若甘願使上帝引導，在各方面攏仰望祂，
無論何事主氣力極大，困苦之日給你扶持，
凡若靠主不變愛疼，站石磐頂攏不搖動。

常常歎氣且啼哭無停，憂悶掛慮有何利益，
逐時經過黑暗之苦境，自己哀傷有何效力。

咱的十架試鍊苦痛，對咱不願愈壓愈重，
只要靜靜寬心等候祂，用盡心情來置盼望。
承受天父善良的旨意，攏是由祂智慧愛疼，
主揀召咱來屬於祂，知咱欠缺勿得訝疑。

吟詩祈禱遵守主教示，忠誠盡你自己本份，
當信靠祂雖然不堪得，尙久能得眞實憑准，
凡若實心靠主之人，祂不棄揀保伊穩當。阿們。

第7部 鐵窗修道院

…室內樸素清潔，室友們也很友善…

在這種環境中能精修上帝的話語，

並靜思十字架與復活的眞理。

請向總會議長、助理總幹事及其他友人請安並道歉，

不要掛慮我的安危，

只要關心全體教會的團結與進步…

藏匿施明德

有幸為台灣下獄，我深以為榮。只是該事件因我而牽連太多人，尤其是林文珍女士的犧牲最大，至今我一想起她的受苦，仍心痛如絞。

爲台灣吃苦　早有覺悟

在花祥牧師家，我並不知道要躲藏多少時日。花牧師提及，二二八事件後的白色恐怖時期，黃彰輝牧師處境危險，恰好安慕理牧師的宿舍緊鄰黃牧師家，中有秘密甬道相通。安牧師勸黃牧師過來避一避：「如今局勢混亂，請您過來我的住處，暫時躲躲。」阿兵哥到黃牧師宿舍搜查時，找不到人，黃牧師才逃過一劫。

花牧師以此爲例，半強迫性的接我逃家，他們說：「最危險的時候，稍微躲一下，避過風聲，可能比較安全。」

1996年，台南神學院創校120週年，頒贈榮譽博士學位予彌迪理牧師。這是彌牧師被迫離台後，第一次獲准歸返。此照攝於南神校園，左為當年的學生許天賢牧師。

當時我並不覺得害怕。因爲心裡早已覺悟：發表聲明，嚴重忤逆當權者，必然會遭遇種種困難。有此覺悟，就不害怕。他們傳話叫我回去上班，我就回去上班，並未躊躇猶豫。

我們常收到恐嚇信，說要把我們「斬草除根」，寫在明信片上，落款署名「一群愛國的人」。許多人關心我們，捎來忠告。比如說，最好不要一個人單獨出門，別走在馬路上，最好傍著騎樓走，因爲國民黨最擅長製造「假車禍眞殺人」事件。

我繼續在總會工作。隔年，一九七九年十二月十日，發生震驚世界且影響台灣民主甚深的美麗島事件。三天後，國民黨展開大逮捕。十二月二十三日早上，許天賢牧師（當時擔任傳道師）於台南白河林仔內教會，主持聖誕節慶祝主日禮拜，在講壇上，當眾被逮捕。那天，也是他大女兒雅茹的周歲生日。牧師主持禮拜時被逮捕，這

在文明世界是非常嚴重的事情。教會忙著關心許牧師，照料家屬，我完全沒想到自己會捲入施明德藏匿案。

我認爲國民黨要逮捕我，有三個原因。第一、他們認爲我應爲長老教會三次聲明負責；尤其第三次的「人權宣言」，主張「讓台灣成爲一個新而獨立的國家」，更是讓國民黨政府無法忍受；第二、，我始終主張應該重新加入普世教協，不應該孤立於國際社會之外；第三個原因才是藏匿施明德的事件。後者只是導火線，我若不下獄於藏匿案，也會下獄於別的案件；總而言之，我都無怨無悔。

有幸爲台灣下獄，我深以爲榮。只是該事件因我而牽連太多人，尤其是林文珍女士的犧牲最大，至今我一想起她的受苦，仍心痛如絞。

患難伸援手　責無旁貸

先前我並不認識施明德，好像只有兩次在公開場合見面。一次是與友人在餐廳吃飯，朋友遠遠指著一名男子說：「他就是施明德。」好像還有一次，是韓國牧師來訪時，見了一次面，僅此而已。對他的了解，大多來自報章雜誌，說他以前被判死刑、無期徒刑，關在綠島，再特赦出來。

施瑞雲與其辯護律師張俊雄合影。

一九七九年十二月十三日，施明德於大逮捕之夜逃脫，之後全台通緝，懸賞五十萬元。隔沒幾天，獎金節節升高到一百萬元、兩百萬元、兩百五十萬元，風聲鶴唳，草木皆兵。

有一天，大約是十二月十五日吧，聖經公會出版幹事趙振貳牧師到總會找我，關起門來低聲說：「施明德已經走投無路……希望你能設法幫忙。」

他的請求，我並沒有立即答應。我告訴趙牧師說：「請讓我想一想。」

個人的命運如何，比較無所謂，但是我還對全台灣八百多所長老教會和十六萬名信徒負責。我在辦公室踱來踱去十幾分鐘，思考和祈禱。

我的助理施瑞雲提醒我：「這次施明德若再被捉，就是死刑了。」我內心一震，想一想，事態果然嚴重，他不僅是面臨普通的審判，而是面臨死亡。

基督徒的信仰，愛護患難中困苦的人，責無旁貸，其他反而比較次要。耶穌說，人爲朋友而放棄生命，沒有什麼愛是比這個更大的；在所有的愛心中，能爲別人或朋友放棄生命是最要緊的。尤其他又是世界特赦組織認定的良心犯，使用非暴力方式追求政治理想，多年來爲台灣努力奮鬥，我們更應該協助他。

我對趙牧師和瑞雲說：「好，我來設法。」

林文珍長老 爲義救人

其實我不知道應如何幫助他。當時我家已二十四小時受到監視，管區警察幾乎每天晚上到我家閒坐喝茶聊天，問我施明德藏在哪裡，還意猶未盡的刺探說：「有風聲傳說是藏在你家。」我說：「你每天晚上都來，怎麼不知道？」

之後多年，我才得知，施明德從十三日深夜脫逃後，先後去了兩三處地方：先是去彰化陳婉眞父母家，聯絡一些人，發現黃信介家沒人接電話，姚嘉文、張俊宏、林義雄家電話被斷線。陳婉眞的家人想載他逃往彰化鄉下，但他認爲不能離開台北，因爲最危險的地方最安全。

於是他先北上，找林樹枝，那裡不太方便；又去石牌路德教會吳文牧師的家，吳牧師家有岳父母同住，而且沒多餘房間，也不方便。過了一夜，吳牧師建議施明德南下，去台南神學院，找倡議解放神學的南神師生。但那些人也身處險境，早已各自避難。他只好繼續在吳牧師家過第二夜，後來想：「不然找總會試一試。」於是趙振貳牧師代為奔走，來總會找我。

我雖然答應幫忙，其實還沒有具體方案，於是和瑞雲商量。我想，這件事應該拜託一位與施明德完全不認識的人才好。瑞雲說：「不然，再找林文珍長老幫忙。」林文珍長老時任女子神學院院長，好像有好幾棟房子，人脈很廣，找她也是辦法。

於是請文珍長老來。我很坦白對她說，如今事態很嚴重，施明德有生命危險。根據我的了解，他的所做所為，都是為了疼愛台灣。如果他被逮捕、被槍斃，對台灣的民主，是很大的打擊。是不是能考慮幫忙他？

文珍不認識施明德，而且她家有七十多歲的老母、兩名幼子，還有一位智障的弟弟，全家靠她一人支撐，肩上擔子沈重。她面容憂愁，說：「請讓我想一想。」然後低頭祈禱。沒多久，她說：「好。」

我們開始討論如何幫忙。起先，文珍建議往宜蘭羅東方向進行，她有很可

靠的友人，和安全之處可以藏匿。這計劃傳給施明德時，他卻反對。他說，往僻遠處的道路，都有士兵、警察、便衣檢查人車，途中必定被捉。大隱隱於市，他主張繼續待在台北市比較好。

既然如此，文珍聽其言，決定帶他去她家。文珍家住敦化南路的大樓，同樓住有國民黨黨政要員，施明德戴上老人帽、老花眼鏡，拿掉假牙，妝扮成鄉下老頭子，通過大樓管理員和電梯的監視，險險乎到達頂樓的住家。家裡老老小小也當他是鄉下親戚，不疑有他。其間，瑞雲、趙牧師和吳牧師負責探望和傳話。

施明德在文珍家住了兩星期，透過吳牧師的聯絡，找到施明正（施明德之兄）的朋友許晴富，他一口答應收留。所以十二月二十八日又搬到西門町許晴富家，再聯絡張溫鷹北上，幫他動手術整理牙齒。隔年一月，就在那裡，施明德被逮捕了。

逮捕始末

他們態度客氣，只說：「有事情問你，請你和我們一起去。」語氣很輕鬆。但當天晚上，就直接把我送往新店軍法看守所。幾乎沒有停歇，隨即審問。因為牽連的網已經收好，劇本早已寫就，等著我簽名畫押。

衆難我獨免　內心備受煎熬

我是幫助施明德逃亡的人當中，最晚被逮捕的。

一九八〇年一月八日，施明德於西門町鬧區許晴富家被捉，成了全國大新聞，甚至是世界性大新聞。許晴富、吳文、張溫鷹等第一線的「窩藏者」，很快一一被捕或到案；沒多久，瑞雲、文珍、趙振貳、黃昭輝等人，也先後被捕。

我的助理施瑞雲，出身非基督教家庭。靜宜文理學院畢業後，立志爲主工作，曾任職於台中基督教青年會，後轉任職於長老教會總會，熱心服事上帝

高俊明坐牢期間，高李麗珍（左一）和鄭兒玉牧師娘（右二）前往探訪林文珍的母親（中）和兒子，右一長子林源彬，左二次子林本源。

和教會，也背負來自家庭的壓力。家人不太了解她的信仰和行事，被捕之後，她的母親和兄弟來責備我，說我這個主管連累屬下。

文珍家也是。家裡少了棟樑，亂成一團，大家都失了方向，陷入恐懼中。文珍的姐姐和姐夫當然也怪罪我，認為我是禍首，要我出面澄清，負起所有的責任。

想到文珍和瑞雲的痛苦，以及她們家人的憂慮，我非常難過，日夜落淚、祈禱。我決定自首。每個人都被捕了。我一人獨自在外，忍受內心的煎熬，設想他們的苦處。我希望趕快自首，把所有責任擔起來。

我與鄭兒玉牧師等人商量此事。施明德逃亡時，鄭牧師曾來找我，憂心忡忡的問起：「施明德到底下落何處？有沒有辦法可以幫忙？」我見他非常焦慮，就邀他出去，路上告訴他實情，他才放心。總

會裡我起先只告訴鄭牧師。我的家人，母親、麗珍和小孩都不知情。

身負教會總幹事之責，我不能不顧教會的安危；最重要的考慮是，我不希望教會因此而受到任何牽累，只願教會在此變局中，順利推出適當的繼任人選。我將我的心意分別告知翁修恭牧師、謝禧明牧師等人。

時間換空間　等待國際救援

但他們認爲，應該以時間換取空間。他們說，事件發展至今，一日數變，國際間還沒有時間和機會了解台灣發生什麼事，和爲什麼會發生。「如果你去自首，當局速審速決，依其意下獄和槍殺，教會和國際人權組織等團體，根本沒有搶救的可能。」我們要儘量拖延時間，擴大戰線，引起世界輿論的注目和國際伸出援手。

鄭牧師說：「所以，你不應該去自首，慢慢等，等他們來捉你。」當前要務之一，是別讓美麗島事件的受難者被移送軍法審判，努力爭取民主國家人民應有的待遇，應該適用司法審判。

等待是一種懸疑和磨難。我心情很難受，曾經有一次，竟然對兩位丈母娘發脾氣。兩位老人家，閒來在家玩跳棋；不曉得爲什麼，我竟怒火中燒，無

法遏止，對她們說：「妳們能不能別玩跳棋？」丈母娘解釋，國事如此，她們也很難過，只是不知道如何幫忙，只能爲美麗島事件受難者祈禱。

她們根本不明白我心裡的秘密。報紙和電視，日以繼夜，鉅細靡遺報導美麗島事件和施明德藏匿案的種種發展，她們當然想像不到我居然也是涉案人。我雖自由，卻比受刑痛苦，我常常不能吃不能喝，無法入眠，只能祈禱流淚。

一九八〇年四月九日至十三日，總會於台南神學院召開第二十七屆總會。我的行政事務雖然忙碌緊張，也無法紓緩我爲文珍和瑞雲的焦慮。開完總會後，我對麗珍說：「明天，我們回台南老家，探望親人，休息一下。」

四月二十四日，我們剛從台南返北。才回家沒多久，我還在洗澡時，黎香來敲門說：「爸爸，外面很多人進來……說要找高俊明。」我說：「請他們進來坐，沒關係。」

我走出浴室，看見屋內坐了大約七、八個壯漢；管區警察穿制服，其他好像都是便衣，門外還有一大批人，和車輛。我與他們一一握手問好。他們態度客氣，只說：「有事情問你，請你和我們一起去。」語氣很輕鬆，好像是平常的公事應酬。麗珍問他們有沒有拘票，他們拿出來讓我們看一下。管區

警察對他們說：「你們帶他去問完，要再帶他回來。」也是輕鬆的模樣。

我確知他們會來逮捕我，我也期待他們來逮捕我，略略免除我內心的煎熬。等待逮捕比逮捕本身更折磨人。

劇本已編好　只等簽名畫押

當天晚上，他們直接把我送往新店看守所。到所裡，我問：「是不是可以讓我打電話回家報平安，請大家不用擔心。」他們說：「不行。」幾乎沒有停歇，隨即帶我去審問。當時，大約有三、四個軍法官在場問案。我不太記得審問多久，理應不像審問別人那麼久，因為牽連的網已經收好，劇本早已寫就，等著我簽名畫押。

他們已編好一套劇本，儘量把我塑造成唯一男主角，說施明德的逃亡，從頭到尾都是我的安排、我的計劃，甚至我還設計幫施明德逃往國外……結論是：我必須為此事負起全部責任。

但劇本有許多情節與事實不符，我一一求証。我說，事實上我並不認識施明德，從未講過話，也沒想到他會來尋求我的協助，因此，我怎麼可能從頭到尾計劃和安排他逃亡。類似這種嚴重失實之處，我修改了幾項，他們大部

份都照我所講的，予以修改。

我的原則是，我自己的部份照實說；涉及別人的部分，儘量保留，我從不提及去哪裡，找誰商量等等。基本上不算太困難，因爲有些人沒被捉進來，我完全避而不提；至於已經捉進來的，說了不要緊。

審問完，押我入牢房。聽說先前是林義雄先生住的，後來移往隔壁房。我關進去時，同牢房的，一位是漁民，一位是船長，都是老實人。出海時，拿台灣的錶要換「那邊」的魚，其實是走私行爲；可是在當時算「通匪」，有「叛亂」之嫌，全關在軍法看守所。我一進去，他們馬上知道我是因什麼案件而來，對我很友善。

海內外聲援

——高李麗珍自述

英國也寄來很多慰問卡片，其中一張我印象深刻。小孩子用彩色蠟筆，歪歪斜斜勾勒出一個籠子，一個男人被關在籠內，外面站著一名士兵。卡片上寫著：「Mr.高，為什麼你被關在裡面？請告訴我。」

牧師被逮捕　便衣大抄家

開完總會，高牧師有一天假，我們一起回台南，看看就讀於台南家專的黎理和親戚。四月二十四日返回台北家中。黎香那時就讀台灣神學院，正在唸書準備考試；兩位媽媽去勝恩妹妹家閒坐；高牧師在洗澡，我出門買香蕉。

才出大門，打開廊燈，發現門口停了幾輛黑頭仔車，旁邊依例站了一些便衣警察。我買了香蕉，在巷口遠遠看見便衣守在門口；我繞了一圈再回家，看到便衣仍然守在那兒。我內心有些忐忑，彷彿覺得時刻到了。

我不能不進去，於是鼓起勇氣開門。先前高牧師曾交代我說：「看到一個一個被捉，有一天會輪到我，妳要有心理準備。」我不知道他做了什麼事情，每天只看他面容憂傷，禁食、流淚、祈禱。

我開門進去，才關上門，便衣馬上按電鈴。我再度開門，立刻闖進十幾個人，不准我進房間，只能站在客廳。正好電話鈴響，是生母打電話來，她說：「今晚想住勝恩妹妹家，好不好？」旁邊圍滿了便衣，我無法回答，就嗯嗯伊伊的；養母覺得有異，再加上她本人也有被政治迫害的經驗，堅持趕回家來。

便衣把電話掛上，說：「不能再接電話。」黎香想出門，他們也說：「不能出去。」黎香說：「可是我和朋友有約。」便衣說：「今晚不行，妳們不能出去，也不能再用電話。」

牧師從浴室出來，和大家握手打招呼，說：「我就是高俊明。」換了衣服，隨後就被帶走了。其餘人等繼續留在我家，裡裡外外搜索。十個人二十隻手，進去每個房間每個角落每個抽屜，胡亂翻來翻去，我都不知道要看守哪一個。我曾聽人家說，他們有所謂的「栽贓法」，自己放進東西，再假裝搜出來。我很緊張，但防不勝防。

後來媽媽她們回來，我請她們回房間祈禱。牧師九點多被帶走，便衣則繼續抄家到十二點，搜走三十本講道資料、二十二本雜誌和六個資料袋，把家弄得像浩劫之後，轟轟然走了。留下我們四個女眷，老的老，小的小。

禁食祈禱會　聲援高牧師

半夜十二點多，台南神學院的學生打電話來，說：「我們已經知道發生什麼事，我們為你們祈禱。」沒多久，從英國、美國、加拿大，從這裡、從那裡，致意的電話都打來了。我也不明白為什麼消息傳得那麼快。總會的助理總幹事謝禧明牧師等人，也趕到家裡商量善後處理。

事後我得知，當晚南部的原住民看到電視新聞，知道高牧師被捕，屏東排灣族代表四、五人，立刻從山地徒步下山。入城後，搭夜車北上，大清早就抵達總會事務所，與牧師們共同祈禱後，又一起來到我家，為我們祈禱，安慰我們，然後才坐車回屏東。

排灣族人是第一批來安慰我們的人。因為高牧師從神學院畢業後，就赴屏東山區巡迴傳道，之後又赴玉山神學院，與原住民學生朝夕相處。他們之間的感情，非常深厚。

高俊明被捕後第三天，台北市雙連教會舉行禁食祈禱會。教會不畏強權和壓力，持續支持聲援高俊明和其他受難人。

高牧師被捕後沒多久，蔡培火先生就打電話來，指責我們不應該做這種事，他又說此事應與總會試圖重新加入ＷＣＣ有關。他說：「如果眞的沒收財產，再來告訴我。」意思是，這次事情，他幫不上忙了，但可以阻止財產被沒收。隔天，蔡培火先生以國策顧問的身份去探監。

爲了高牧師被捕之事，總會立刻籲請全台灣的教會，分區舉行禁食、祈禱會。蔡培火先生得知此事，更加生氣，四月二十七日晚上也趕赴雙連教會的「台北市近郊聯合禁食祈禱會」。

四月二十七日晚上，在便衣環伺之下，雙連教會仍然坐得滿滿，走廊四周也站得滿滿，現場八百多人，秩序井然，靜默流淚祈禱。蔡培火先生便沒再說話。

有人形容那次的禁食祈禱會，純眞迫切，實在是「看到長老教會的大復興」。

高牧師被捕後，禁止探監會面。第二個禮拜以後，才准許送東西進去。我叫孩子幫忙送衣物和聖經，獄卒一一檢查，看見聖經有摺痕，於是打開翻看，問：「爲什麼有記號？暗示什麼？」其實那是我要他讀的章節。

獄方規定，每禮拜會面一次，每次三個親人，面會時間共三十分鐘。很多人想看高牧師，就說：「拜託一下，我假扮你們的阿姨或姑姑，一起進去探監。」有一次，屏東排灣族的溫信臨牧師專程北上，說要去探監。他說：「你們開門時，門開大些，進門動作慢些，讓我倚門縫偷偷瞄一下也好。」他坐了大半天的車，從南部趕到北部，只爲了遠遠見高牧師幾秒鐘。

海內外支持　千里傳愛心

日後，高牧師在牢裡過五十歲生日，中部梨山部落的泰雅族牧師，不辭辛苦，從山區端了一個蛋糕來，要替高牧師祝壽。因爲礙於獄方規定，無法赴監獄祝賀，就到我家來，遙祝壽誕，與我們家人過一個壽星缺席的生日宴。

太魯閣族的原住民寫信給總會助理總幹事包佩玉姑娘，說：「別忘了發薪水給牧師娘過日子。」他們唯恐牧師坐牢，我們就沒薪水領。

太魯閣族的原住民，還有部落發動支持簽名和募款。管區警察前去查問，

高俊明坐牢期間，泰雅族牧師從梨山攜來蛋糕，幫高牧師做壽。大家聚集高宅，為缺席的壽星祈福。

說可以「代勞」，叫他們把簽名單交出來，把錢託給他們，他們可以轉交。原住民很警覺，說：「不用，不用，我們自己做就行了。」

原住民的支持，很直接，很熱情。後來我赴中部山區請安，一位老婆婆拉我的手，用日語說：「高師母，別害怕，我們整夜都爲你們通宵祈禱。」她還引用聖經〈但以理書〉章節來鼓勵我們，說：「高牧師就像但以理在獅穴，身處險境；不過我們爲他祈禱，獅子的嘴不會去咬他。上帝保護他，請妳安心。」不識字的原住民老婆婆，竟然這樣安慰我，可見他們對聖經的信心，和對台灣的愛心。

日後我走訪山區，到處都得到原住民的鼓勵，也看到他們爲高牧師禁食祈禱，通宵祈禱。平地也是如此，這裡、那裡，都有禁食和祈禱。

我家圍牆外，設了一個崗哨，二十四小時有人站崗，一次兩人，每天四組換班，觀察和記錄訪客，登

高牧師娘赴各地教會報告高牧師獄中近況，並感謝會友的禁食祈禱和關心。

記車號。其他受難家屬也都有這種待遇，親友怕惹麻煩，因此卻步，不敢登門關心，這是另一種形式的白色恐怖。但我們家不同，原住民敢來，外國人敢來，總會的幹部，親戚或會友，也都敢來，他們都不怕。

此外，還有來自國內國外的致意信，非常非常多；連遠在天邊、不曾聽過的國度 Kiribati，也有人捎信來。我收到這封信，趕忙拿出世界地圖，和花可玲師母按圖索國。原來這是在太平洋上，一個很小很小的國家，一九七九年獨立的「吉里巴斯共和國」，從它的首都拜立奇 Baikir 寄來的。

還有一次，收到來自牙買加的包裹。拆開一看，是一張大紙板，哇，背面滿滿都是兒童歪歪扭扭的簽名。原來這是當地夏季學校小朋友的作品。他們的牧師講高牧師的故事給學生聽，學生就自動做了大卡片、集體簽名，支持高牧師，並為他祈禱。

英國也寄來小孩子的慰問卡片，好多張，其中一張

我印象深刻。小孩子用彩色蠟筆，歪歪斜斜勾勒出一個籠子，一個男人被關在籠內，外面站著一名士兵。卡片上寫著：「Mr.高，為什麼你被關在裡面？請告訴我。」

總會決議留任我的總幹事職位，並派「代理總幹事代行其職，直至獲釋歸來」，此舉是對不義統治的輕蔑，和對信仰的堅持。此外總會開會時，都在講壇上置放一張空的總幹事座椅，置於眾人的視覺焦點，提醒獄中猶有未歸人。我永遠感念那些年教會對我的支持。如同麗珍所說的：

「我深信在這如火的試煉中，有主美好的旨意。」

沒有聖經的一個禮拜

一九八〇年四月二十四日，我被關進新店軍法看守所。第一個禮拜禁見，不給書讀，不給紙筆寫字，不給聖經；漫漫長日，狹窄的空間，面對未定的命運，而且不知道這樣的日子還要繼續多久。那應該是我最痛苦的一段日子。我掛慮教會，掛慮被我牽累的文珍和瑞雲，以及其他無辜受難的人。

牢房潮濕骯髒，蜈蚣、老鼠多，睡覺時，種種蟲類在身上爬來爬去。我的五十肩發作，彎腰洗臉都疼痛不已；痔瘡惡化，經常流血；牙齒搖搖晃晃，後來拔掉三顆。這些肉體上的疼痛，比較容易克服；比較難克服的，是精神上的寂寞孤獨。

從進監牢的第一天，我就低聲默讀依稀記得的聖經章節，低聲吟唱聖詩。一九九九年十二月，張俊宏在美麗島事件二十周年時提及此事，他坐牢時，常常隔鄰隱約聽見我的祈禱和吟詩聲，很受感動。當然那時我並不知道。

有時我獨自一人坐牢房，好幾個月無人可以交談；有時同房獄友兩三人或四、五人，來自三教九流的人。政治犯或同案者，不能關在一起，放封時也是如此，必須交錯時間，不准互通聲息。

我剛被逮捕時，並不知道教會對此事會有何反應。因為這是戰後教會所遇見最棘手的困境，非常政治化的事件，直接與當局硬碰硬。教會內部也有國民黨的支持者，聲音不小，所以我也不太確定教會將如何處理我和這件案子。

四月二十七日，我第一次獲准寫信。我寫給麗珍：「……室內樸素清潔，室友們也很友善……在這種環境中能精修上帝的話語，並靜思十字架與復活的眞

理。請向總會議長、助理總幹事及其他友人請安並道歉，不要掛慮我的安危，只要關心全體教會的團結與進步……」

總會無懼力挺總幹事

國民黨逮捕我後，再三警告我：「你這個長老教會總幹事，現在被關在這裡，教會眼看就要分崩離析了。」我最憂慮因爲我的行爲，連累教會，或連累信仰，甚於憂慮連累我的家庭。所以當麗珍第一次來會面時，她說：「教會幾乎毫不保留的支持，並且積極發動各地教會禁食祈禱…」我非常激動，乃至落淚。最掛慮的心事，已經放下了。

確實，我被捕次日，長老教會總會議長張清庚立即召集臨時總委會，決議立即發佈緊急牧函，肯定我的作爲，並通告主內同工和兄弟姐妹，呼籲「全體教會統一於四月二十七日（本週主日）晚間七點半起，假各地舉行特別聯合禁食禱告會；並請各教會暫停原定聚會，帶領全體信徒前往參加聯合禁食禱告會。」並以〈哥林多前書〉第十二章互勉：「…總要肢體相顧，若一個肢體受苦，所有肢體就一同受苦；若一個肢體得榮耀，所有的肢體就一同快樂。」

國民黨政府對此非常震驚。他們以爲總會將解除我的職務，與我劃清界限。之後，他們再三威脅利誘總會，說：「如果你們把高牧師解職，我們就儘快把高牧師釋放出來。」總會的態度很堅決，說：「釋放高牧師，是你們的事情，不能有條件；至於高牧師的職務，是眾人選出來的，我們無權解聘。」

國民黨轉而要求我辭職，說：「你如果辭職，上面很快就會釋放你。」我說：「我才當選沒幾天，不能爲了這些事情，自己說辭就辭，這是不負責任的態度。我必須服從長老教會總會的決定，如果總會要我辭，我很樂意；如果沒要我辭，即使在監獄，我仍然是總幹事，仍然行使總幹事的職責。」在我坐牢期間，國民黨從未停止要我辭職、或要總會開除我的行動。

和此事的重要性比起來，審問和判刑，相對的不那麼難捱。審問期間，牢友進進出出，各色人都有，裡面也有「間諜」，主動表示對你很尊敬或其他種種；話中設有圈套，故意要你多講，看能把誰牽扯進來，或加重罪刑。到後來，「間諜」反而偷偷告訴我說：「其實我是有關單位派來的，叫我寫報告。」放封時，就是去報告我說了些什麼。

仗義直言爲九人請命

我的審問和判決，算是實話實說，速審速決。我之所以幫助施明德，是基於信仰和良心，基於基督徒的同情心，沒有政治上的動機；而瑞雲與文珍，完全受我牽累。五月十六日我在法庭上表示：

一、我願意負起林文珍、施瑞雲二人的一切刑罰，因為她們兩位完全是被我連累的。

二、我也願意向因為愛心而幫助施明德之其他被告表示敬意。我雖與其中一半的人全無交往，卻衷心佩服他們的愛心。

三、一千九百多年前，曾有一個名叫加略人猶大，為了自己的利益，出賣了他的恩師，就是全人類的救主耶穌基督，給那些自私自利的人們去殺害。後來這猶大自殺，而他的田地成為血田。今天這猶大已成為全世界的基督徒最看不起、最藐視的人。

四、現在我們的社會裡，像猶大的人很多。為錢、為地位要出賣朋友、兄弟姐妹，甚至恩師、父母親的人很多；但像這九位被告那樣，願意為困苦人犧牲自己的人很少。我相信能愛惜這種人才的國家必有光明，而不能愛惜這種人才的社會，必有禍患。

五、在此我願意鄭重聲明，我願意為這九名被告負起他們該當的一切刑罰，為此我願意付出我的性命和財產。

六、我切求政府能早日釋放在此的九名被告，使他們能早日回家與父母親、太太、兒女、弟兄姐妹們團圓，並繼續造福同胞，貢獻社會。

七、最後我要感謝天父上帝，用這些患難來磨鍊我的心靈。我仍確信上帝的愛與公義是最後的勝利者。

這是我的最後陳述。

國民黨並未採納我的請求，說各人犯的罪，各人承擔，因此九人都判了刑。

一九八○年六月五日，我收到軍事法庭的判決書。主文如下：

高俊明、林文珍共同藏匿叛徒，高俊明處有期徒刑七年，褫奪公權五年。

林文珍處有期徒刑五年，褫奪公權三年。許晴富共同藏匿叛徒處有期徒刑七年，褫奪公權五年。全部財產除各酌留其家屬必需之生活費外，沒收。

吳文連續共同藏匿叛徒，處有期徒刑二年，褫奪公權二年。

張溫鷹幫助藏匿叛徒，處有期徒刑二年，褫奪公權二年。

林樹枝、趙振貳、黃昭輝、施瑞雲、許江金櫻明知為匪諜而不告密檢舉，

林樹枝處有期徒刑二年，趙振貳、黃昭輝、施瑞雲、許江金櫻各處有期徒刑

二年，緩刑三年。

幸好瑞雲判緩刑，關幾個月之後，得以出獄。

講壇空椅等待獄中人

判決之後，六月八日我隨即寫信給總會議長等人，重點有二：第一，「希望總會能早日選出新的總幹事，來負起協助全體教會、熱心傳道及關懷社會的使命。」第二，「我在此間會好好磨練自己，成為主更忠心的僕人。七年後，當我出獄時，教會若允，我就可以做巡迴傳教師，訪問原住民教會及平地教會來彼此造就。所以我懇求總會及台北中會，准許我保留傳教師籍。」

七月底，彰化基督教醫院院長蘭大弼醫生夫婦於返歸英國前夕，赴監所來看我。我又聽說有幾位長老表示，他們願意輪流替我坐監兩個月。

我常覺得，我領受的，遠遠超過我所付出的。

我被判刑後，總會議長張清庚於一九八一年二月二十六日公開報告，清楚表明：「第一，高牧師等人對於施明德案之所為，乃根據基督徒之信仰與倫理，亦為教會共同信念的表現，正是基督徒應有的作為。第二，牧師係神職人員，其基本職責乃根據基督教信仰以救人、助人及愛人，給予人有新生活

的機會。身爲牧師，絕不能爲了貪圖金錢和意識型態不同而出賣別人。」並再度以〈約翰福音〉第十章互勉：「我是好牧人，好牧人為羊捨命。」

一九八一年，總會的總委會決議留任我的總幹事職位，並派「代理總幹事代行其職，直至獲釋歸來」，此舉是對不義統治的輕蔑，和對信仰的堅持。不僅如此，此後總會開會時，都在講壇上置放一張空的總幹事座椅。那把空椅，置於眾人的視覺焦點，也是一種提醒：獄中猶有未歸人。我永遠感念那些年教會對我的支持。如同麗珍所說的：「我深信在這如火的試煉中，有主美好的旨意。」

總之，我坐牢的四年間，總會無畏艱險和迫害，堅定支持我的作爲：第二十八屆總委會接納議長對我受判刑的報告，認爲我的行爲，符合聖經的信仰、牧師的職責和基督徒的本分；第二十九屆通常年會，通過請求當局釋放林文珍長老和我；第三十屆總會常置委員會修函，請求早日釋放林文珍長老和我。一九八三年十月四日，文珍長老出獄後，第三十一屆總會繼續籲請當局釋放我。他們不曾中止對我的支持、關懷和營救。

一九八四年五月四日《台灣教會公報》社論，再次表明態度：「高俊明牧師的被捕，正是使台灣的基督徒更明確的看到了自己的十字架。我們必須抉

1984年，加拿大Knox College頒授榮譽神學博士學位予高俊明牧師，但此時高俊明仍在獄中，由高李麗珍代表，前往加拿大參加贈授典禮。

擇是否勇敢的迎向它，由此而帶給台灣新生的希望，或者迴避它而置鄉土於不顧。然而長老教會的信徒已經在信仰上更成長、更老練的站起來了。」

台灣基督長老教會總會的領導風格，多年來展現的是集體領導，並樂意挺身共同承擔教會的責任。當年參與總會決策的領導階層，和出席總會的議員們，願意出於信仰，認同我的所為，並喚起台灣以及普世教會共同關心，給予支持。台灣的長老教會在此事件上的整體經驗與表現，尤其在面對政府當局強加的壓力下，教會益加團結，堅定而不妥協，成為普世教會所認同的一項美好的見証，深受推崇與支持。整個事件，顯然已成為教會共同的榮耀，正如聖經上所記：「事事互助效力，叫愛神的人得著益處。」

林宅血案

——高李麗珍自述

教會取名「義光」，不僅是林義雄的義，信義路的義，
也是上帝公義的義，公義之光。
它曾是流血的地方，仇恨的地方，
如今成為聆聽基督福音的殿堂，
也是台灣現代史上，在政治、文化及宗教層面，
一個充滿意義的所在。

那麼小的孩子　砍那麼多刀

一九八○年二月二十八日中午，我與田朝明醫師的女兒田孟眞，赴台北美麗華飯店出席一場國際性的基督教婦女會聚會，討論聖經、聆賞音樂。席中，服務生通知我說有電話，好像高牧師找我。我心中一震，以爲他出事被捉了。我和孟眞立刻趕回總會辦公室，看見高牧師臉色蒼白，他說林義雄律

師的母親受重傷，送往仁愛醫院，要我趕快去幫忙。

我和孟眞趕到仁愛醫院時，急診室一片寂靜。我問護士，是否有一位林老太太被人殺傷？她說，林老太太已經死去，只有一位林小妹妹奐均，身受重傷，送來急救。我離開急診室，看見田媽媽在走廊流淚講公用電話，她說：「快跪下祈禱！快跪下祈禱！」她號啕大哭，拼命打電話，四處叫人爲林家祖孫的安危祈禱。

之後才知道，九歲的奐均，身中六刀，肺部和胸腔嚴重受傷，大量失血，正在檢查照X光。一會兒推了下來，記者蜂擁而上，對著蒼白虛弱的奐均追問：「兇手是誰？長什麼樣子？有沒有怎麼樣？」我想了想，依當時報導的偏頗慣例，奐均講的，和以後報上寫的，可能大不相同，最好錄下來爲証。

我家離醫院很近，我馬上趕計程車回去。家裡兩個媽媽已經得知惡耗，並聽田媽媽囑咐，跪地虔誠祈禱，哭說：「眞是殘忍，那麼小的孩子，砍那麼多刀。」大家都還在找兩個雙胞胎的下落，不知她們早已罹難。我請媽媽別出門，繼續祈禱。我錄音機一拿，又趕回醫院。此時，奐均又陷入昏迷了。只聽見記者不斷問她兇手是誰，長什麼樣子。醫護人員隨即推她上樓急救。醫生搖頭歎息，說挽救的希望太渺茫，但還是要盡力搶救。

我看田媽媽不斷召人祈禱，後來漸漸就有人趕來醫院了。

醫師搶救被阻　悲劇難挽回

前一天，也就是二月二十七日，是美麗島事件軍法部份家屬第一次獲准會面。大家結伴前往，聽說林義雄臉上有傷，家人問他：「你有遭到刑求嗎？」林義雄不說話，只回一句：「你自己想也知道。」

二月二十八日召開第一次公開調查庭，律師和家屬都到法庭。義雄嫂方素敏本來不想去，林律師的秘書田秋堇說：「家屬都去了。去吧，去爲林律師說話。」素敏姐不得不去，去了又不安心，老惦記著家裡老的老小的小。於是十一點從軍法處打電話回家，雙胞胎之一接的電話；十二點多又打電話回家，「怎麼都沒有人接電話？」素敏姐覺得奇怪。她拿鑰匙給田秋堇，叫她先回家看看。

秋堇身上沒什麼錢，轉公車回來，開門入屋內，一片死寂。她覺得身體不適，想進房休息，一開門，見奐均躺在床上呻吟，秋堇輕搖她：「奐均，奐均⋯⋯」奐均說：「別摸我，很痛，有人殺我⋯⋯」秋堇驚嚇，跑去看雙胞胎的房間，空空的。她立刻向警察局報案，又打電話回家，給田朝明醫師夫婦，

叫他們趕快來。田醫師叫她火速送醫，秋堇說她身上沒錢，於是又打一一九叫救護車。

田醫師趕來時，警察已經到了，說要送往三軍總醫院，秋堇說要送往仁愛醫院，比較近，雙方爭執不下，之後才送往仁愛醫院。田醫師想到地下室找尋阿嬤和雙胞胎，但被警方阻止，不讓入內。田醫師力爭，警察說：「阿嬤已經死了。」田醫師說：「你又不是法醫，爲什麼知道阿嬤已死？我當過法醫，我要下去看看。」警察說：「法院的人沒來之前，現場不許動。」堅持不讓田醫師下樓。

過了很久，屋裡屋外遍尋不著，才赴地下室找到雙胞胎的屍體。阿嬤躺在樓梯間，小孩則像布娃娃那樣捲曲在小小的儲藏室，小小的兩個娃娃。田醫師很難過，說當時爲什麼不讓他去地下室救人，如果下去，說不定救得活雙胞胎。

仁愛醫院亂成一團，檢查這個，調查那個，素敏姐從軍法處趕回，聽到奐均受重傷，生死未卜，整個人幾近崩潰，已經無法支撐。大家盡力安慰，但沒有人敢向她提及阿嬤和雙胞胎的事。

到了傍晚，田媽媽告訴我，說現在還沒動手術，問台大醫院那邊有沒有認

識的醫生可以過來幫忙？奐均的情形很嚴重，胸口的一刀，因爲她的心臟稍稍不正，沒有插中心臟，但肺卻不行了。

我找侯書文醫師協助，他說：「麗珍，醫院之間有約束，仁愛醫院若沒有主動請我們去，我們就不能自行前往。這是醫界倫理和尊重，請諒解。」

晚上十點，鄭兒玉牧師也趕來。奐均正在手術中，醫院亂糟糟好像菜市場，有人說這樣有人喊那樣，人人不知所措，彷彿羊群少了牧者。他於是請大家安靜下來，爲林家祈禱。在場人士立刻圍在一起，安靜默禱。鄭牧師帶領眾人懇求上帝垂憐，醫治奐均，安慰林家，降福林家。

走過幽暗之谷　受難相扶持

深夜，入獄七十七天的林義雄律師獲准交保，從監牢被押出來，被當局以身體檢查的理由，送往長庚醫院住院，立法委員黃順興和康寧祥相繼告訴他家中發生了慘案，義雄兄聽了，悲痛至極，哀號落淚，昏厥多次。

次日早上，鄭兒玉牧師邀田媽媽和我赴醫院探望，到時，病房前佈滿警察，入內必先看身份証登記。我們明知空泛的慰問之詞無濟於事，卻不得不勉力而爲。我們見了義雄兄，他處於心靈極度傷痛之中，我們略略致哀，就

美麗島事件受難家屬從祈禱會和家庭禮拜開始，彼此定期聚會，相互關心幫忙。前排右起高李麗珍、周清玉。

告辭了。

事件過後兩個月間，義雄兄四處尋覓母親和女兒的墓地，國民黨以其「交保期間遊山玩水」為由，再度將他逮捕下獄。留下素敏姐一人，面對重傷的大女兒和三具棺木。

四月二十四日，高牧師也被逮捕。我也成了受難家屬，裡裡外外忙著，面對前所未有的生命困境。

有一次，素敏姐對我說：「同樣是丈夫被捉，為什麼妳顯得很有力量、很平安，還有餘裕幫忙別人？我也希望能有同樣的平安，同樣的力量。妳家有警察站岡，卻常常有人登門探望；我們這些家屬，門口也有警察站岡，卻沒有人敢上門。」

鄭兒玉牧師、翁修恭牧師、董芳苑牧師和高明輝牧師等人得悉此事，就說：「我們來做家庭禮拜，大家相互扶持。」

之後，我家舉行家庭禮拜，請受難家屬來，牧師帶

領祈禱，彼此安慰。在政治的寒冬，素昧平生的女眷們，自然而然相聚取暖。幾次之後，姚嘉文律師的妻子周清玉說下次去她家；之後，素敏姐說下次去她家；之後，張俊宏議員的妻子許榮淑邀去她家。如此開始於各家輪流舉行家庭禮拜。家庭禮拜通常在探監前夕舉行，次日我們探監時，就能將所得的安慰，與丈夫分享，彼此安慰鼓勵。

托爾斯泰說，幸福的家庭都是相同的，不幸福的家庭各有不幸福的原因。這個家庭有教育問題，那個家庭有病痛問題，那個家庭又有財務問題：外在壓力如此巨大，大家必須緊緊依偎。

有一次家庭禮拜，榮淑姐開車載清玉姐、兩個小孩和我，赴信介嫂家。行經台北市民族西路時，碰的一聲，車子搖晃，一輛大卡車撞了上來，車窗玻璃碎成片片，灑了我們滿頭都是。清玉姐趴在我身上，靜靜的不出聲，人已半昏迷，車子也已半毀。我們立刻叫計程車送馬偕醫院急診，檢查後說她肋骨受傷。

我當天不覺如何，隔天才發覺這裡痛那裡痛。生死一線間的車禍，再往前撞個一尺，我們當場不保。當時常常有這種事，他們說的假車禍眞殺人，是意外或不是意外，總之奇奇怪怪的情況。

高李麗珍赴美國開會時，在洛杉磯與林奐均合影。奐均品學兼優，牆上掛有美國總統雷根的獎狀。

仇恨流血之處　化做福音堂

家屬繼續聚會，做家庭禮拜。接下來是義雄住宅的處置。房子雖然在台北市信義路上，但因為是民間所謂的「兇宅」，賣也賣不了，租也租不掉；即使隔成三間店舖，也賣不出去。家庭禮拜時，大家討論，說來說去，田媽媽說：「這房子，大概沒有人敢買來住，可以留下來當紀念館。」鄭兒玉牧師和牧師娘北上，與大家一起禮拜。牧師娘說，要不然當禮拜堂。素敏姐同意，她說，如果流血的地方，仇恨的地方，能成為聽基督福音的殿堂，也是很好。

既然素敏姐有此意願，我們就著手進行。李勝雄律師、許石枝長老、高明輝牧師等人，於一九八一年十一月二十三日組織一個委員會，負責籌款和教會籌備事宜，基金來自台灣教會會友、社會人士和加拿大、英國、德國、日

在血痕中創建，在公義中茁壯，義光教會設立十二周年時，於台北馬偕醫院大禮堂舉行感恩和義賣晚會，左起：高俊明、許天賢、田秋堇、李勝雄。

本、美國等教會同道之奉獻。一般成立教會，都是先有母會，生出子會；如今我們是先有孩子，才找母親。當時政治氣氛敏感，一般教會不願碰觸此事。三一教會陳福住牧師表示，他們可以擔任母會。所以三一教會的牧師和長老執事，也參與籌創。

許多人來幫忙。陳慶福兄負責改建施工，一樓成了禮拜堂，地下室充當主日學教室。尚未開辦，就有神學生來做東做西；尚未聘有牧者，高集禮牧師就來幫忙事工；神學生也來當夏季學校老師，帶孩子聚會。當時第一位來會的神學生，就是如今的賴貫一牧師。基督教婦女會則辦社區活動，先後開了日語班、英語班、插花班、打字班。我們也把會籍遷入，組成長執會。一九八一年籌備，一九八二年復活節落成，取名「義光」。不僅是林義雄先生的義，信義路的義，更重要的是，上帝公義的義，公

義之光。

我們請高牧師爲教會題字，毛筆字寫好了，獄方卻不許送出來。後來慕源在書房找，找到多年前高牧師的舊書法，勉強補上。首任牧師是甫出獄的許天賢牧師，美麗島事件時，他於禮拜中，在聖壇被捕；如今服刑完畢，一九八四年七月一日，長執會聘他北上擔任首任牧者。

獻堂時賓客雲集，搭蓋出去的布棚，擠滿不辭遠路而來的賓客，英國劍橋大學校長Dr. Martin Cressy，當時英國聯合歸正教會（URC）的議長，也來參加，並代表英國教會致祝辭。特務眼線眾多，大家依然不畏威脅，來到這流血之處，仇恨之處，聆聽基督的福音。

義光教會開設至今，近二十年，許多重大活動，在此展開；許多海外遊子，去國返鄉，到此沈思追悼，淨化心靈。這所小小的教會，已成了台灣現代史上，不論是政治層面、宗教層面、文化層面，一個充滿意義的所在。

參選立委

——高李麗珍自述

回顧那年選舉，國民黨在政治上和民心上，
都無法承受北部的方素敏和南部的高李麗珍雙雙當選的壓力。
素敏姐聲勢太強做不掉，而且林家的犧牲太大，
國民黨不敢硬拗，於是決定不計後果，先把我做掉再說。
那個時代，是做票的時代，下從開票中心，上至法院，
都聽國民黨指揮。即使明顯逮到做票的証據，也無可奈何。

沒錢沒人難選　勸進勸退難決

一九八三年十二月二日的立委選舉，是美麗島事件後，第二次立法委員選舉，仍然是大選區制。素敏姐返國投入第一選區的選舉，在宜蘭縣、基隆市和台北縣，捲起波瀾壯闊的「方素敏旋風」，成千上萬的民眾隨之擁之，場場政見會爆滿，泣聲處處。洪奇昌醫師來找我，鼓勵我參選第四選區，也就

是台南縣市、嘉義縣市和雲林縣等五個縣市。

我對奇昌說：「不可能的。我沒有錢，沒有人，什麼都沒有。」之後，黨外人士說該選區缺乏適當人選，要徵召我參選。黃昭輝、黃昭凱、孋姃姐、王憲治牧師和台南神學院的一些人，也頻頻來勸說。他們說：「選舉是我們眾人的事，妳願意出來，就好了。」

其實，我開始考慮參選，是別的因素。有一次，在政治受難者北區聯合禱告會中，陳文成博士的父親陳庭茂先生曾希望我參選。理由是若有公職身份，無論探監，或照顧受難者和家屬，都比較方便。

當時我說：「我必須顧慮教會對此事的反應。」陳老先生感慨的說：「爲什麼只知顧慮教會，不知照顧社會更多的人？」這句話一直在我心中迴盪。

我探詢教會意見。林培松牧師說，這是一個機會，藉參選來宣揚長老教會的宣言和理念。他說：「我們來樹立一個乾淨選舉的榜樣，以教會和平、乾淨的形象，讓大家明白，選舉是可以乾乾淨淨的。」

十月，我趁探監時，告訴高牧師此事，並徵詢他的意見。他以爲教會鼓勵我出來，因此說，如果教會一致認爲如此，那麼，「我們的形象要像摩西或約瑟，積極參與在百姓的痛苦中，來尋出一條引導全民得救的路。所謂得

救，並不是只有加入教會、靈魂的得救，而是全民的得救，是全民從現世的種種苦難中得到拯救。」高牧師認爲我應遵從教會，出來爲眾人打拚。

於是我們著手籌辦。但教會反對的聲音相繼出現，反對的理由大致是說：一、我的參選是受到政治團體的利用，必定會造成教會與政團之間的混淆，也可能因教會對參選態度不一，而造成教會的分裂；二、參選將破壞教會和牧師已有的良好形象；三、雖然教會應關心政治，但不應該從事如此實際的政治活動。也有人認爲國民黨絕對不可能讓我當選，有人則不忍心我將來承擔立法委員的重責和磨難。鄭兒玉牧師也極力反對，他說：「牧師娘是牧師的影子。牧師娘參選會破壞牧師的形象。」

我不知所措，我沒遇見如此複雜的局面。高牧師終於得知正反雙方的意見，十月十四日向獄方提出特別會面的請求，告訴我說：「不能再這樣下去，教會會分裂。」強烈希望我退選。

處於相反意見之間，兩邊都逼我決定，我非常痛苦。王憲治牧師他們認爲，事已至此，半途而廢，教會反而分裂，形象反而轉差；必須不畏艱難，堅持下去。

民主的十字架　爲鄉土開活路

我不知如何是好，自知唯一能決定此事的，是上帝和自己。我渴望明白上帝的旨意，於是獨自一人，拿起聖經，用祈禱的心，虔誠翻開，正是〈以賽亞書〉四十五章。閱讀時，內心震撼，熱淚盈眶。我聽到了上帝的召喚和應允：「我必須在你面前行，修平崎嶇之地……使你知道，題名召你的，就是我耶和華以色列的上帝。」

十月十四日當天，我發表「民主的十字架」競選聲明：「……民主政治是和平的政治，我願意做和平的使者，以和平的方式，傳播眞理、公義和平安……民主政治的路途是漸進而艱鉅的，我願背起民主的十字架，與全體鄉親們共同挑起民主的重擔，一步一步邁向光明的前途……」

十月二十六日，總會常置委員會召開會議，討論我的參選問題。經過五個小時的討論，決定發表牧函，通告全體教會和信徒。大致是說，教會贊同基督徒個人參政，但個人之言行，不代表教會組織之立場。

教會公開表明立場。十一月十八日，競選活動正式展開，教會仍然投入協助。除了選區的五個縣市中，台南中會和嘉義中會全力投入，連別縣市的會友，也都來支持。台南神學院師生熱烈參與，婦女團契、青年團契和一般信

高李麗珍的競選活動，前排為其競選幹部和法律顧問，右起：蔡介雄、尤清、陳水扁、張俊雄、莊經顯牧師和王憲治牧師。

徒，也很認同，全力助選。

開始，我根本沒有錢選舉。但大家有錢出錢，有力出力，他們說，文宣要什麼，妳儘管去印。音樂家林榮德率先捐了十萬元讓我印傳單，接下來，這裡也出錢，那裡也出錢。林培松牧師爲文宣絞盡心思，他寫出大家的心聲：「爲鄉土開活路」，寫出我們的盼望，我們的努力…每期文宣都有一個感人肺腑的訴求。張俊雄律師、湯金全律師、李勝雄律師、尤清律師和陳水扁律師，則擔任義務的法律顧問。當時的國大代表周清玉則當我的競選總幹事。

不管走到哪裡　人人主動服務

我們租金輔政律師的房子當競選總部。婦女團契的朋友，輪流到服務處，煮飯給義工吃，掃地泡茶接電話，折傳單分傳單。嘉義縣市和雲林縣，都以教會爲中心，設立據點；我走到哪裡，就有當地的教會負

候選人高李麗珍和競選總幹事周清玉（右）沿街拜票。

責接待。

省議員蔡介雄和謝三升也幫我助選。蔡介雄說：「牧師娘，我選舉的時候，準備茶水，分發傳單，樣樣事都得花錢雇人；不曾看過像你們這樣，不管走到哪裡，人人主動服務，事事辦得妥當。」

他說，他選那麼多次，還不曾遇過這種情形，他很感動。他說：「你們喊一聲，教會就出來服務。從青年、婦女，乃至於一般信徒，都靠攏過來。」人力和物力，都是人家主動提供。別人是候選人送禮給選民，我們則是選民送禮給候選人。

地方教會通常有清早祈禱，祈禱完，大家依路線分發傳單。最令我感動的是太平境教會莊經顯牧師，他腳一跛一跛的，依然拿著傳單出去分發。有時我在宣傳車上，看見他竟然站在十字路口，車如流水竄過，驚險萬狀。清早的體育場，菜市場，到處都有我們的聲音和身影，宣傳長老教會的三次聲明、高牧師的故事、以及「建立新而獨立的國家」。

我們的競選口號是「和平使者」，起先引起部份人士的批評，說：「什麼和平使者？」後來他們主動來幫忙，說：「你們只有宣傳車，不夠熱鬧啦。」送了鑼鼓陣來。阿公阿伯帶我去麥寮等草地地方走動。逢廟過寺，說：「我

1983年的立委選舉，北部有方素敏旋風，南部有高李麗珍旋風。

們進去拜一下。」我說，對不起，我是基督徒，我不能拜。他們也說：「對，對，不能拜。」以後他們就不再邀我去廟裡。

那次的選舉，基督徒帶我去這裡，非基督徒帶我到那裡；可以說，那次的選舉，是大家在做、大家在選，大家都想：「這是我們的事情。」文宣組、活動組、服務組，每天都拼得要命；夜裡回來，身心俱疲，照樣開會，並組織監票大隊，分工訓練。

即使如此，我們仍敵不過國民黨肆無忌憚的做票。

國民黨大做票　嘉義做掉一萬

十二月二日投票當天，競選總部旁的空地，以竹架搭了一間寮仔，充當開票中心，人群圍滿滿的，不肯離去。票還沒全部開完，我們已有七萬多票，嘉義市長補選候選人張博雅打電報來恭賀，記者也

來索取當選聲明以便刊載。素敏姐在北部已以第一高票當選。但省議員謝三升說：「且慢，國民黨做票第一名。我曾選過，今晚當選，明早變成落選。」所以就沒有發出當選聲明。

到了半夜，票一直開不出來。清玉姐告訴我：「可能在做票了，開票完全停下來。」我們在競選總部苦候，毫無辦法。開票中心的竹寮，上上下下爬滿了人，我們害怕竹寮垮下來，難免傷亡。半夜，清玉姐宣布，謝謝大家，敬請解散。有人說：「只恨人少，你們竟然叫人家回去？」到最後，消息來報，說我們差十七票，落選。

那次是史上大做票。國民黨僅僅在嘉義，就把一萬六千票做成六千票，做掉了一萬票。開票次日清晨，我外出買報紙，聯合報報導我在嘉義得票一萬六千票，我買了一份，後來再去買，報攤說沒有了，都被收回去了。然後國外有人打電話來，說：「妳在嘉義被吃掉一萬票。」

國民黨想盡辦法這裡刪、那裡減。選前赴醫院收買重病者的身份証，屆時假投票；投票當天，榮民一車車載去偏遠地區，投了一次又一次；地僻人少的投開票所，選監人員趁沒人時，自己領了空白票自己投；開票時，手塗印泥，把高李麗珍的選票弄髒，變成廢票……步數很多。老一輩的人心裡都明

白，年輕一輩則難以想像有這種胡做非爲的事情。

當時每個投開票所，都有「速報單」，寫明每個候選人的得票數。得票數除了報回開票中心之外，依規定還得在投開票所張貼三天。十二月五日晚上，我們的義工在核對投開票所的速報單和台南市政府公告的票數時，發現台南市南區第六十四投開票所，黃正安的得票數與市府公告有所出入，速報單上爲「壹拾玖票」，公告上爲「59票」。

後來我們才知道，廣大的選區，這裡也有問題，那裡也有問題。我們發現有異，拿相機去拍投開票所張貼的速報單時，咦，人家早就撕了。

講理不敵硬拗　最後光榮落選

十二月五日晚上，吳文牧師和大批民眾去台南市政府，要求市長蘇南成開箱驗票，要求入地下室看守票箱，但蘇南成表示非經選舉訴訟，不能開封查驗。我們的助選員乃向地檢處按鈴申告。凌晨三點，檢察官答應將南區八個票櫃查封。

十二月九日清晨驗票時，我們依約前往。看到票箱上原本薄薄的十字封條，竟變成壁報紙當封條，且有重覆加貼的現象。

開箱驗票時，電視攝影機在旁拍攝。我們打開一箱箱的票，其中有一大包，塑膠繩綑著，騎縫章也沒對準。許安得利律師說：「騎縫章不吻合。」他們說：「許律師，別這麼說，你看這一大包，包不好的。」許律師說：「你是蓋好才包，或包好才蓋？如果包好才蓋章，根本不會歪掉，再大包也不會歪掉。」他們說：「裡面對就好了。」

裡面也不對。一般投票，都會折成對折或四折，應該有折痕才是。結果驗票時，那一大包裡面的票，其中有一小包，雖封得好好的，但裡面的票，都是直直的、新新的、乾乾淨淨的，毫無折痕，就是黃正安的五十九張選票。蔡介雄省議員覺得很奇怪，質問爲何如此，調查員說：「我們今天只管算數，數字對了就行，不能質問，若要質問，上法庭再說。」驗票時，他們不准我們質問，不准查閱選舉人名冊、廢票、空白票，或查核有效票的總數。

驗完票，我們回競選總部召開記者會，說明驗票過程的三大疑點：第一、票箱封條已改爲壁報紙；第二、票箱內有一大包，用塑膠繩綑綁，騎縫章是歪的；第三、裡面有問題那一小包票，乾乾淨淨，毫無折痕。

我們赴四處謝票。行經嘉義，國民黨候選人林樂善競選總部牆壁上，還寫著各人的得票數，仔細一看，我的得票數是一萬六千票。正如國外友人打電

話回來說的：「妳嘉義的票被吃掉一萬票。」

在選舉訴訟裡，我方曾列舉九十七位証人，控告第四選區五十個投開票所的弊端。但如大家所料，從投票、開票、驗票到選舉訴訟，整個過程還是受當局肆無忌憚的操縱。回顧那年選舉，國民黨在政治上和民心上，都無法承受北部的方素敏和南部的高李麗珍雙雙當選的壓力。素敏姐聲勢太強太浩大，做不掉；而且林家的犧牲太大，國民黨不敢硬拗，於是決定不計後果，先把我做掉再說。

那個時代，是做票的時代，下從開票中心，上至法院，都聽國民黨指揮。即使在這裡在那裡都明顯逮到做票的証據，也無可奈何。

稍可欣慰的是，當時選舉，落選的人大多負債累累，我雖落選，經費還剩七十多萬元，可以設服務處服務選民，並舉辦活動，也服務了不少人。

獄中啓示錄

牢中祈禱，使我每天得到盼望和力量。
我常常覺得，上帝無處不在，時時與我們同在，
以其奧妙的想法和方式，因應我們的祈禱，解決我們的困境。
閱讀聖經，一次次都有不同的了解和感動。
我常常心生感激，感激聖經豐富而深沈的人生道理，
提供我活在黑牢的力量。

祈禱讀聖經　每天得到力量

聖經記載有許多有信仰的人，都坐過統治者的大牢。舊約裡的約瑟和但以理，新約裡的保羅，都是如此。所以耶穌說：「為義受逼迫的人有福了，因為天國是他們的。」（馬太福音五章十節）他又對義人說：「我餓的時候，你們給我吃；口渴的時候，你們給我喝；我赤身無衣可穿的時候，你們給我穿；生病時，或是被關的時候，你們來探訪我。」（馬太福音廿五章卅五至卅六節）

我也是在坐牢中，深深體驗祈禱的力量。清早，當時不允許戴錶，不知道時辰，我大多於麻雀吱吱叫的時刻起床，開始祈禱。爲麗珍、慕源、黎香、黎理祈禱；爲親戚朋友和教會祈禱。每天清早的祈禱，好像環遊世界一般，從台灣、日本、美國、加拿大、英國、德國，關心我的遠方朋友，或生病欠安的朋友，或遭逢不幸的朋友，我在牢中的清晨，一一爲他們祈禱。

我從祈禱中，得到上帝的安慰和勉勵，使我每天的生活，得到盼望和力量。幸好上帝無處不在，他不受柵欄的限制，不受鐵門的束縛，時時與我們同在，我們可以直接與他說話。在牢中，我更加覺得，信仰就是力量。我常常覺得，上帝以其奧妙的想法和方式，因應我們的祈禱，解決我們的困境。

祈禱完畢，我依進度讀聖經，輕聲讀聖經，我和牢友讀中文聖經，自修時則小小聲，輪流以台語、日語、英語讀聖經，訓練發音和記憶力。坐牢歲月裡，總共讀畢舊約七次，新約十二次。反覆的閱讀中，一次一次都有不同的了解和感動。我常常心生感激，感激聖經章節內豐富而深沈的人生道理，提供我活在黑牢的力量。

爲了更進一步了解聖經，我延伸閱讀其他書籍，像是考古學、上古史、猶太人歷史風俗習慣等等。某種意義上，坐牢像是讀研究所。

讀聖經時，我輕聲細讀，以自己聽到、不影響別人爲原則。我尊重每一個人的宗教和信仰，也樂於與每個人分享其經歷和信仰心得。在這種情形之下，最後反而有許多人說要信主耶穌。

獄中唱歌詩　愛心溫暖黑牢

早餐後，或傍晚時，我喜歡吟詩唱歌。班長和獄卒，很喜歡聽我吟唱聖詩或世界民謠，因此並不禁止。有一次，新來的憲兵，喝止我唱歌，班長對他說：「這個人不要緊。」後來張俊宏常常提及此事，說我的獄中歌聲，帶給他很大的力量。

我在牢裡，收到來自世界各地基督徒的信件，識與不識者，得知我的故事，寫信慰勉我，或引聖經經文，或引自身經歷，鼓舞我撐下去。我從沒想到會有那麼多人寫信給我，更深深體會耶穌所說的：「……凡遵行上帝旨意的人，都是我的兄弟姐妹和母親。」（馬太福音十二章五十節）

有人知道我多年得痔，時常流血，非常痛苦。一位日本女傳教士特地回日本尋找一種痔者專用的椅墊，寄來給我。圓圓的椅墊，形如游泳圈，安坐其上，不致壓迫患部。

有一位美國宣教師，女兒和女婿在澳洲當牧師，教區居民大都養羊爲業。他們聽說冬天的牢房寒冷難捱，整天披著棉被才勉強保暖，他們就請會友織羊毛衣，送來給我。

冬天讀書，手指會因寒冷而僵硬，翻頁或拿筆，多不方便；於是又有人專程去找手指有開口的手套，寄來給我。

有人知道我喜歡巧克力，專程叫朋友送到監獄來；有人知道我愛吃生魚片，專程等麗珍探監時，買很新鮮的生魚片帶來；原住民朋友，一年四季送來當令的水果如梨子、蘋果和芒果等等。有的受難家屬，住家彷彿疫區，人人避之；我家常有親友或不識之人，登門探訪。教會內有許多年輕的傳教者，說要輪流替我坐牢，請政府趕快讓我出去。

牢房當教堂　看守所傳福音

天主教教宗若望保祿二世得悉我的事情，派梵蒂岡駐台特使，和一位善說台語的修女來探監。那天並不是會面日，憲兵來通知，說有特別會面，叫我穿衣外出。特使說：「明天依行程，就要返回梵蒂岡，與教宗見面，報告此事。」特使並轉達：「教宗關心你的健康，你的家族。」他說教宗曾向當局

反應，說：「爲什麼強迫牧師密告信徒？」特使離去後，我請麗珍代我寫信給教宗，向他致謝；教宗回信給我，表示他的關心和支持人權運動。此外，美國參議員也關切這個案件是否涉及宗教迫害。

世界各地很多人寫信給我。有些人還自動把我的信譯成英文、德文，在當地的教會發表。有一位宣教師的太太之後告訴我，在我坐牢期間，她每個禮拜寫信給我。但我一封都沒收到。

原來，監獄中有些受刑人充當雜役，幫忙發信件。有一天，一位雜役對我說：「寄給你的信很多。但上面規定，一個禮拜只能給你兩、三封，其他好幾箱都拿去燒掉了。」

獄方還規定，一個禮拜只能寫兩封信；來信與去信，每封信不得超過兩百字，獄方並逐字逐句檢查。因此，我沒辦法逐一回覆來自東南西北的信，只能透過教會公報，向大家致意，四年內大約寫了三百多封信。出獄後，我也趁出國訪問和演講之便，親自向大家道謝。我想他們能夠了解我無法一一回信的原因。

漸漸我也習慣了讀書、運動、寫信的獄中生活方式，漸漸也可以把牢房當做教堂，以室友做教友，在軍法看守所傳福音。四公尺長三公尺寬的囚室

裡，先後與我同房的，有所謂的共匪，也有軍人、生意人、走私漁民、角頭兄弟、搶劫犯和殺人犯等。

每天清晨起床，我安靜祈禱，早飯後則邀室友一起讀聖經，以一天一章為度。我又用毛筆字寫詩句，貼在牆上，吃飯前和大家一起吟誦。匆匆牢房歲月，後來每個人幾乎都會吟上幾十首詩歌。

牢友得信仰　開啓新的生命

依獄方規定，我們每星期有三次「放封」，一次約十五到二十分鐘，可在中庭散步運動曬太陽；後來的三、四年，則延長為一、兩個鐘頭。放封的所在約二十坪大，隔著一堵牆，又是另一個放封的所在。有時我在這裡散步，隔壁放封的恰好是信介仙或義雄兄。總之，我們同案之人，不准同時放封，有所接觸。

年深月弛，規定漸鬆，我們偶而在走廊相遇，可以打打招呼；有時班長睜一眼閉一眼，假裝沒看見，我們就趁機說說話。有時「上面」來巡視，班長就先說好，叫大家離開一下。

有一陣子，我的牢房再隔一房，就是義雄兄牢房。他正勤學日語，不懂之

處，一一記在簿子上，簿子寫滿，請雜役投入我房間。我知道他要我修改，或寫解答，便一一寫上，出去散步時，再擲入他房內。透過日文筆記本的「函授」往來，我覺得與義雄兄特別親切。之前我們完全不認識。

嘉文兄當時正埋首寫歷史小說《台灣七色記》，請人拿草稿給我看。我也回了幾封信，談及聖經章節，供他參考。後來他於新書發表會時，也展出我寫給他的信。

有一位室友說：「我雖然冤枉被關，現在已經被判無罪，但我並不想向政府要求什麼賠償。因爲我和高牧師關在一起，得到一份人生最珍貴的寶貝，已經值回一切；所以我心滿意足，不想再申請國家賠償了。」

也曾有一位黑社會青年，不喜歡我的獄中傳道。不論我說什麼，他都不以爲然，句句反駁。過了幾個禮拜，有一天夜裡，他靠到我身邊，低聲說：「高牧師，我也要信耶穌。」此後他像換了新人，生活完全改觀，勤讀聖經，勤寫詩篇，勤記日記；又從監獄圖書館借閱高中教科書，借閱英語、日語、數學書籍，用功學習，常請我教他吟日語或英語的聖詩。他記憶力佳，學習能力強，在學識和信仰上，進步很多。

之後，他被移監。他告訴我說，以前他怨恨整個社會，爲什麼他犯個小

錯，就要受刑受辱？別人貪污舞弊，歪哥幾十萬幾百萬，反而沒事？這個社會很不公平。原本他決定出獄後，要犯更多罪、害更多人，作爲報復。但認識主耶穌之後，他從此要孝順父母，讓父母往後的人生快樂，用各種方式造福眾人。他離去前，把獄中日記留給我，我讀著讀著，非常感動。

啊，我多麼懷念這群來去匆匆下落不明的難友。

第8部 眞理的天空下

我隨時祈禱，因此我常常喜樂。
做事歡喜，認識別人歡喜，
連喝一杯茶也歡喜。
當然人生充滿哀傷和挫折，
但我總因祈禱而得到力量。
對我而言，祈禱即生活，生活即祈禱。

黑牢絕食記

絕食的第二、三天，是生理上最痛苦的時期，全身虛弱，充滿饑餓感。熬過這兩三天，便不覺得餓了，反而通體舒暢。最重要的是決心，從頭開始就要有決心；如果意志不夠堅定，準備得馬馬虎虎，餓了就想要偷吃，反而更痛苦。

獄中絕食　救援林文珍

我始終無法忘懷林文珍長老為我所受的苦。在最危險的時刻，文珍接納了施明德；事件過後，她被判刑；家庭、精神和肉體，所承受的種種苦楚，甚為劇烈。她身體虛弱，本有氣喘病，又曾局部切除胃部；獄中生活品質惡劣，伙食水準低下，好幾次她胃疾復發，不支暈倒，要求保外就醫，獄方都視若無睹。

文珍關在三峽監獄，訓導是當時政治迫害的典型，欺負她，隱情不報，報告裡只寫文珍的壞話。一九八三年八月三十一日早上，文珍在廁所暈倒，後

來被發現，才拖出來急救。急救時，正好文珍的妹妹惠愛提早去探監，當場看了，痛哭失聲。獄方也措手不及，原本以為家屬下午才來會面，以致真相曝光，但仍然不准保外就醫。主治醫師到監獄看文珍，訓導強迫醫師寫報告時說一切無恙。後來惠愛趁訓導不注意，跑去跟醫師講，醫師才明白整個情形，於是更改報告，說確實很嚴重。但有關單位仍未採取行動。

麗珍輾轉得知，告訴我這件事。我非常悲憤和擔憂，決定從九月一日起，絕食抗議，直到文珍獲准保外就醫。先前我寫了很多陳情書，給內政部長、給警備總司令部、給總統、給所有相關單位，請獄方幫我寄出。獄方檢查書信，派人來說明，說絕對不能絕食，政府一定馬上處理。

但我認為事態嚴重，時間緊迫，稍一延宕，恐有不測，無論如何就展開絕食抗議行動。獄方每天都來人情攻勢，說：「你的歲數大了，健康要緊，一旦絕食，情況難以收拾，請吃點飯吧。」我說：「如果一天不讓林文珍保外就醫，我就一天不停止絕食。」

九月二日，文珍獲准送往三軍總醫院切片檢查。九月五日，絕食第五天，國民黨允許麗珍和謝禧明牧師等人，與我特別會面，目的要他們勸我吃飯。國民黨的人也在場解釋：「如果因為你的絕食而釋放林文珍，上頭的人沒有

面子。為了作業方便，也為了顏面問題，請你開始進食。我保証，幾天之內，一定給你一個善意的回應。」

最後我同意了。我說：「這樣好，我相信你。我開始進食，但看你們這幾天的表現了。如果你們沒能儘快讓她保外就醫，我就再度絕食。」

從那天起，我略略喝了些米漿。九月十日，文珍獲准前往三軍總醫院住院

林文珍保外就醫後，高李麗珍前往探望。

治療。十月四日，正式保外就醫。

平日鍛鍊　絕食意志力

這是我的第一次絕食。絕食有其道理和步驟，韓國福音教會趙鏞基牧師，著書介紹如何禁食祈禱，教人正確而持久的禁食。最重要的是，不要在禁食之前，拼命的超量進食；反而要先逐步減少飲食：先是減三分之一，繼而減三分之二，再百分之百禁食，才不會傷害身體器官和健康。禁食期間，不要從事粗重的工作和激烈的運動；但必須喝大量的水，做適當的體操，也可以照常讀書。

復食時，不可立即恢復正常飲食。起初喝米漿，漸漸飲用牛奶和果汁，一天天逐步趨於正常。比方說絕食五天者，大約再以五天逐漸恢復正常。

我從趙鏞基牧師的相關著作中，學得知識，按步照著做。

以我的經驗，絕食的第二天、第三天，是生理上最痛苦的時期，充滿饑餓感，全身虛弱軟綿綿。熬過這兩三天，習慣饑餓，便不覺得餓了。反而覺得不進食，只喝水，通體舒暢。最重要的是決心，從頭開始就要有決心，如果意志不夠堅定，準備得馬馬虎虎，餓了就想要偷吃，反而更痛苦。

1999 年夏天，高俊明（左）全程參與公民投票救台灣的絕食行動，在立法院外人行道上絕食十一天。

一九九一年，台大學生抗議國民大會胡亂修改憲法，在台大門口廣場靜坐絕食。義雄兄邀我前往關懷支持。我義不容辭，加入絕食行列，那是我第二次絕食。該次行動，對日後台灣的政治運動和社會發展，起了很大的作用。尤其結束當天，二十幾位大學教授，包括張忠棟、陳師孟等人，公開燒毀國民黨黨証，宣告與不義統治的決裂。此後教授與學生，快速催化民主的腳步和獨立的呼聲。這是後話。

有醫師曾經說過，對六十歲以上的人而言，七天以上的絕食，比起七天以內的絕食大不相同，危險性急遽升高。

一九九九年夏天，爲了公民投票救台灣的運動，我全程參與立法院前的絕食行動，持續絕食十一天。

那次長期而大規模的絕食，正值溽暑，又濕又熱，立法院人行道現場，是很惡劣的絕食氣候和環境。我自以爲經驗豐富，可以撐最久，照例之前先逐步減少飲食，沒想到因年紀已經七十一歲，第二天，我就暈倒兩次。經急救後甦醒，可以繼續端坐絕食。從第三天起，就有彰化基督教醫院派駐醫生護士，一天二十四小時駐在現場待命。

幾次在風吹日曬下絕食，有人問我：「你怎麼能夠長期挺直腰桿端坐？」

起先我也不自知，經人提醒，才發覺果眞如此。回想起來，我好像從很小很小的時候就養成習慣：走路挺直，端坐挺直，吃東西乾乾淨淨，家人拿多少份量給我吃，我一概吃得一粒米、一根菜都不剩，連西瓜都只剩薄薄一層皮。

哥哥姐姐都如此，我則更徹底，變成根深蒂固的習慣。這也不是父母親的刻意訓練。印象中他們非常忙碌，忙著看病人、上教會；除了做禮拜和吃飯，難得在一起。我們在一種平和溫馨的家庭環境中，孤獨成長。

而我，從初中時奉行托爾斯泰哲學，就養成規規矩矩的生活態度，每天計劃性的讀書、勞動或唱歌，照表操課。做玉山神學院院長時，早上教書，下午勞動，其餘時間主持校務，凝聚成一種生活的規律與原則，不知不覺中自我要求：一旦想清楚必須做什麼事情，就一定做到底，不管條件多麼惡劣，絕對不半途而廢。

自由的滋味

當時副總統李登輝對我的事情很關心。他是基督徒，了解牧師有保守秘密的職業倫理，必須幫助走投無路的人，為此面見蔣經國，要求提早釋放我。也是因為他的努力，一九八七年，已經罹患肺癌的黃彰輝牧師，才獲准返回台灣，睽違二十二年，終於安抵他思念的故土。

海內外同慶　牧師獄中歸來

我坐牢期間，世界各地的教會，以各種形式關心我，派總會議長或秘書長來台訪問，其中有十幾個人到監獄來探望我。總統府和外交部，也收到無以數計的國外信件，要求將我釋放。

我並未預期何時出獄，反正還早。我心覺悟，就關七年，或者更久。

一九八四年八月十五日下午，午飯過後，憲兵進來，叫我整理行李。由於先前移送一批牢友到火燒島，另一批到軍人監獄，我猜測可能輪到我移監。整理完畢，被帶往所長室，看見警備總司令陳守山。他說我在監獄表現良

好，上面決定今天讓我出獄。

他們又帶我辦出獄手續，前門圍著記者，所以他們帶我從後門離去。回到家裡，已是賀客盈門，大家高興熱鬧好似過年。國內外致意電話不斷，黃彰輝牧師從英國打電話來，安慕理牧師也從英國來電。彌迪理牧師特別以歡欣的心情朗誦詩篇一百二十六篇第六節：「流淚撒種的，必歡呼收割。那帶種流淚出去的，必要歡歡樂樂的帶禾捆回來。」

沒多久，日本、美國等多國朋友紛紛來電，電話響個不停。我在日本進修那年的保姆科同學滝澤朝子（我的堂妹英子最要好的朋友，後來成爲牧師娘）得知我出獄時，非常興奮，坐在電話旁，不停的撥，不停的講，把我的出獄消息廣爲告知。很多人聽到我的消息，或哭或笑，感動下跪祈禱。

在獄中長期領受的隆情盛意，我無法細細形容，也無法一一致謝。八月二十一日，我透過總會發函給信徒，表達我的心情：

「主內親愛的牧長、兄弟姐妹們：

感謝主的恩典，八月十五日傍晚，我終於回來了。

這四年多漫長的時日裡，承蒙諸位誠懇的關懷、代禱，令我與家人深受安慰與鼓勵。日前我回來時，也即刻接到諸位的電話、信函、賀電、禮物、訪

1984年8月15日，高俊明出獄當天，與來訪的親友合影。
前排左起：周清玉、黎理、黎香、高明輝牧師；中排坐者左起：高李麗珍、高俊明、李陳金絨；後排左起：田秋堇、林美瑢、洪奇昌、商正宗牧師和牧師娘、翁金珠、田孟淑、施明珠、許天賢牧師娘。

問等等，非常高興，我從心底感謝您們。

我真切希望能立刻拜訪諸位，來陳謝諸位的美意，但實際上無法如願做到，只好先以此信向諸位請安並致謝。

許多牧長、朋友贈我以詩篇第一百二十六篇，叫我們有無限的感動與鼓舞，特在此分享與兄弟姐妹們，作為我們共同的勉勵：

『當上主將那些被擄的帶回錫安的時候，我們好像做夢的人。我們滿口喜笑、滿舌歡呼的時候，外邦人中就有人說，上主為他們行了大事。

上主果然為我們行了大事，我們就歡喜。

上主啊。求你使我們被擄的人歸回，好像南地的河水復流。

流淚撒種的，必歡呼收割。

那帶種流淚出去的，必要歡歡樂樂的帶禾

高俊明出獄後，在高雄市新興教會的感恩禮拜，接受原住民信徒的歡迎式，並穿戴排灣族致贈的「英雄帶」和「英雄冠」。

捆回來。』

願主使我們能一起更熱心來實行主所付託我們『愛真理、愛同胞、愛人類』的使命。並願主祝福您們每一位。」

北部的七星、台北、新竹中會籌備「高俊明牧師獲釋北區聯合感恩禮拜」，訂於九月十二日於台北市雙連教會舉行，好讓我在主的殿堂，感謝主恩，感謝識與不識者長期的關心。

就在感恩禮拜舉行前一天，總統府一位參事與情治人員，偕同某些教會人士來我家拜訪，要求取消感恩禮拜，以免激怒當局，鼓動人心，否則後果不堪設想。許天賢牧師代我表達立場，說高牧師被捕之後，坐牢之中，蒙受信徒關懷，萬萬不能省略向眾人致意的禮貌；而且消息與通知都已經發出去，不能取消公開感謝的感恩禮拜。

情治人員見我們態度堅決，又說，不然感恩禮拜照常

舉行，但高牧師不能出席。許牧師說，名稱叫做「高俊明牧師獲釋北區聯合感恩禮拜」，高牧師豈能缺席。情治人員說，如果高牧師一定要出席，那就不要上台講話。許牧師又說，高牧師不上台致謝，怎能叫做感恩禮拜？情治人員逗留至半夜才離去。感恩禮拜照常舉行，日期和方式不變。

我們仍必須爲理所當然之事，耗費心力。連感恩一事，都備受阻擾，其他種種，更無須細提。

遊歷全世界　答謝長期關懷

我出獄那年，剛好是基督教傳入韓國的一百周年，韓國有一系列慶祝活動。他們立刻拍電報來，邀請麗珍和我同往，參加設教一百周年的慶祝活動，並談談獄中生活；因爲四年來韓國有許多人爲我祈禱。

日本來邀請，美國來邀請。德國以教會名義發出邀請函，並派兩位牧師攜函面遞，說很多教會多年來替我祈禱，期待我能巡迴德國的教會，與大家分享心得。

面對來自世界各地的邀請，我深受感動，一一致謝；並說明我離開台灣社會已四年多，當務之急是重回自己的土地，傾聽鄉親的聲音，重新了解社

會。因此接下來的一年多，我將定根於台灣，四處拜訪、演講，和聆聽。

後來我聽麗珍說，當時副總統李登輝先生對我的事情很關心。他本身是基督徒，了解牧師有保守秘密的職業倫理，必須關心和幫助走投無路的人，爲此曾面見蔣經國總統，要求提早釋放我。

一九八四年八月中旬，李登輝先生邀林義雄先生的家人和麗珍到官邸，說明當局有可能放人，結果當週兩人就釋放了。我們出獄後，李登輝先生曾幾度邀請我們夫婦，以及教會幹部，同赴官邸，分享信仰經驗。也是因爲他的努力，一九八七年，已經罹患肺癌的黃彰輝牧師，才獲准返回台灣；睽違二十二年，黃牧師終於安抵他思念的故土。

一九八八年一月十三日，蔣經國去世，李登輝先生成爲第一位台灣人總統。黃彰輝牧師曾公開向海外台灣同鄉呼籲，對李登輝政府給予「批評性的支持，並給改革充份的時間」，即是此後十年，台灣民間社會和反對陣營的所謂「李登輝情結」。

一九八五年夏天，我覺得心情篤定，準備妥當，才應邀出國訪問，赴英國、瑞士、德國、美國、加拿大、日本、韓國等十幾個國家，與大家分享生命經驗、坐牢經驗和信仰經驗。往後大約每年出去一、兩次，應邀至各國巡

上：1985年夏天赴加拿大訪問時，於多倫多與圖圖主教（Bishop Tu Tu）見面。
下：1985年夏，美國參議院議員愛德華．甘迺迪安排訪問國會。右起參議員索拉茲、呂秀蓮、愛德華甘迺迪、高俊明夫婦、斐爾參議員、周清玉、李奇參議員。

迴拜訪，甚至赴南半球如巴西、阿根廷、紐西蘭、澳洲等未曾去過的國境，回應他們對我的關懷，並報告台灣的現況。

去到每處，都受到熱烈的歡迎。到美國東岸，主辦單位於國會山莊舉行歡迎茶會，參議員索拉茲和甘迺迪等人到場致意。台灣同鄉也從老遠專程而來，熱鬧哄哄都是異地的鄉音，黑壓壓都是熱情的身影，大家共聚一堂，關心台灣的前途。

到美國西岸，主辦單位選在可容納三、四千人的洛杉磯水晶大教堂。我嚇了一大跳，心想：「我認識的台灣人那麼少，你們又借那麼大的禮堂，假使……」我預期若有上百人，就不錯了。結果偌大的教堂，人群魚貫而入，竟然滿座。看見那種場面和氣氛，讓我深受感動。

到巴西聖保羅，當地長老教會人數很少，同鄉聽說我到來，說他們也要辦歡迎會。我驚訝的發現竟然有那麼多台灣同鄉，四、五百人高高興興同聚一堂。另外，同鄉從電視得知國際特赦組織在巴西舉行總會，就用心良苦的打聽出開會地點，並建議主辦單位，讓其長期救援的良心犯高牧師，有機會向全體會員致謝和簡單致詞。在那遙遠而陌生的國度，向與會人士敘述遠方的種種，基於人性和關懷人權的共通層次，竟也彼此都受感動。

台灣之春

出獄之初，正值台灣社會上下翻騰的轉型期。各種社會力與弱勢團體，掙脫戒嚴束縛，於各個角落，掙扎吐蕊，萌芽茁壯。像是二二八公義和平運動、蔡有全許曹德台獨案、原住民人權暨吳鳳銅像事件、歷次選舉的呼籲、反對軍人干政、總統直選案等，長老教會於此關鍵時刻，所幸都未缺席，積極全程參與。

台灣大轉型　教會全程參與

出獄隔年，一九八五年，我的總幹事任期屆滿，改選，我又高票當選。這次連任，使我的總幹事任期，前後長達十九年，成爲史上任期最長的總幹事。其實我的行政能力很弱，只懂得欣賞別人的長處，努力掌握教會成長的方向，如此而已。

所以我常常說，總幹事的工作很容易，因爲有很多的助理和幹事在旁邊幫

忙，各司其職。像是謝禧明牧師、羅榮光牧師、洪振輝牧師、林建二牧師、葉美智牧師、蘇慶輝牧師、張立夫牧師、陳南州牧師等，都是非常優秀的人才，善於規劃，長於執行，出口能言，提筆能寫。所以即使在最艱難的時刻，總幹事入獄，缺席四年餘，總會事務依然有條有理，甚至蓬勃成長。

出獄之初，正值台灣社會上下翻騰的轉型期。各種社會力，各種弱勢團體，掙脫戒嚴的束縛，於各個角落，聲如驚雷，勢如春筍，掙扎、吐蕊、萌芽、茁壯。像是二二八公義和平運動、蔡有全許曹德台獨案、原住民人權暨吳鳳銅像事件、歷次選舉的呼籲、反對軍人干政、總統直選案等等，長老教會於此關鍵時刻，所幸都未缺席，積極全程參與。

有人批評台灣基督長老教會的牧師不務正業，高度介入政治。其實，在不公不義的社會裡，關心和參與政治，永不嫌多。半世紀以前，朝鮮人反抗日本殖民統治，爭取獨立建國，曾於漢城發表獨立宣言。當時三十三位獨立宣言發起人之中，有十一人是牧師，七人是信徒。他們不惜犧牲性命，堅持以莊嚴肅穆的態度，來追求整體社會的公義和平。

我們也希望以同樣莊嚴肅穆的態度，來追求整體社會的公義和平。一九九二年十二月四日，我曾應國際特赦組織之邀，以「基督徒的人權關懷：從反

1980年代，台灣社會各個角落都有新生的力量在萌芽。不論是政治、文化、人權、宗教領域，長老教會都積極參與，未曾缺席。

省到行動」爲題，和大家講話。演講末段內容，至今仍然適用：

「戒嚴解除後，台灣仍存有很多人權問題。五二〇農民代表的和平遊行，受到鎮暴部隊的棍棒相加，血濺街頭，就是最明顯的一例。農民的人權、漁民的人權、勞工的人權、原住民的人權、婦女的人權，或直接或間接，或明顯或暗地被蹂躪。以男性爲中心的台灣社會，少女被人身買賣和性剝削；殘障者的人權未被尊重，精神病患者的人權也未受重視。他們是弱勢中的弱勢，人權當然不彰。

人權問題仍四處滋長之際，我們不只要認識人權，更要自我檢討過去的行爲，來採取上帝所喜悅的行動。有反省又有行動，是我們今天的要務。

耶穌告訴門徒：『我差遣你們進入世界，好像差遣羊進入狼群一樣。』狼是群體動物，是兇猛的；羊是溫柔的，羊進入狼群裡，必定遭遇許多困難，甚至生命的危險。耶穌說：『你們要馴良像鴿子，靈巧如蛇。』

我想，基督徒要採取人權行動時，一定要考慮三件事情：

第一、正義。聖經說：『正義使國家強盛，罪惡是人民的羞恥』（箴言十四章三十四節）關心人權，一定以公義爲標準；有公義的政府，才能保証每一個人的人權。

為了爭取人權，爭取獨立國家主權，牧師也得上街頭。

所謂的愛國心，是一個常被誤用的美麗話語。許多人的愛國心，其實就是盲從政治領袖。可是，沒有一個政治領袖是十全十美的，也沒有任何政府是十全十美的。我們不能盲從政治領袖或政府。假如政府的政策不尊重人權，我們基督徒就應該說出良心話。什麼是對，什麼是非，要基於良心；對的，支持，不對的，用愛心說誠實話，這才是眞正的愛國心。這種態度才能建設有公義的政府，有公義的國家。

二次大戰時，日本東京帝大教授矢內原忠雄反對日本政府發動侵略戰爭，他公開演講：『求上主把不義的日本打敗，埋葬在地下，讓有公義的新日本重生重長。』爲了這句話，矢內原教授被迫離職，受盡迫害。戰爭結束後，眾人深感他當初的主張才是眞正的愛國，是眞正救日本的途徑，於是聘請他返回東大任教，並推選擔任校長。

第二、智慧。分別是非，只靠世間的學問是不夠

的，須依賴從上主來的智慧，才能判斷是非，明白眞假。有屬天的智慧和精確的智識，才能建立公正、和平、美麗的社會。

第三、愛心。聖經全書最重要的是『要盡心、盡性、盡意、盡力愛上主，又要愛鄰舍如同自己。』愛上主，愛眾人，才能建設尊重每一個人之權的社會。」

紀念二二八　發揚公義和平

解嚴之後，台灣基督長老教會依然高度參與社會事務，其中必須特別一提的，是二二八公義和平運動。一九八七年一月底，鄭南榕先生出獄後，邀集陳永興醫師、李勝雄律師、許天賢牧師等人，和海內外台灣人團體組成二二八和平日促進會。當年是二二八事件四十周年，但是「二二八」這三個字，在長期白色恐怖統治下，已在台灣社會消音了近四十年，成了台灣人心靈最深沈的陰影，最巨大的禁忌。

二二八和平日促進會於全台舉行遊行、大型演講會、座談會、祭拜典禮和追思禮拜、史料展覽，公開要求公布眞相，平反冤屈，讓死者的冤魂得以安息，讓生者的心靈得以平安；也讓台灣住民，得以因了解而諒解，因諒解而

和解，因爲和解就是邁向和平的開端。

這項運動，是選舉之外，台灣社會持續最久、著力最深的政治運動，觸角更深入文化層面、社會層面，甚至藝術層面。簡而言之，應該是一項全方位的心靈改革運動。

台灣基督長老教會從一九八七年二月起，便密切參與二二八和平日促進會的各項活動，並進一步主張：奠基於公義，才能追求永久的和平。一九八九年一月二十八日，台灣基督長老教會與二二八和平日促進會、台灣人權促進會等數十個海內外團體，聯合發起「二二八公義和平運動」，共同呼籲：

一、要求政府公開道歉、賠償、興建二二八紀念碑。

二、釋放所有政治犯，促進社會公義。

三、全民紀念二二八爲公義和平日。

四、敬請二二八事件受難家屬及見證人踴躍參與各地紀念活動。

五、敬請各宗教團體爲二二八事件受難者舉行追思紀念儀式。

爲此，我們於一九八九年二月一日，發出「二二八公義和平日牧函」，向信徒表示以下之意：

「基於台灣基督長老教會的信仰告白：

『我們相信，教會是上帝子民的團契，蒙召來宣揚耶穌基督的拯救，做和解的使者；是普世的，且根植於本地，認同所有的住民，通過愛與受苦，而成為盼望的記號。』

因之，我們十分關切社會之公義和平。

我們以萬分悲痛的心情，回溯一九四七年在台灣發生的二二八事件。當時成千上萬的台灣社會菁英與無辜者被殺害，成為台灣歷史上泯滅人性的一個重大事件，以致造成台灣住民長久以來對政治的恐懼和省籍之衝突。如今為了促進社會的公義與和平，我們切盼每位基督徒於二月二十八日當天中午，為紀念二二八事件之慘案禁食祈禱，並為開拓台灣未來光明的前途而舉辦的二二八公義和平日之各項紀念活動奉獻。

為使所有台灣住民和睦相處，我們籲請政府訂定二月二十八日為國定假日，設立二二八和平公園，並給予受害者及家屬適當的補償；更期盼政府為表達與民和解的誠意，嚴禁對政治異議者施以暴力，同時儘速釋放因政治案件繫獄的政治犯，使台灣成為公義與和平的樂土。

『慈愛和誠實彼此相遇，公義和平安彼此相親，
誠實從地而生，公義從天而現。』（詩篇八十五第十至十一節）

台灣基督長老教會
總會議長楊啓壽
總幹事高俊明
主曆一九八九年二月一日

次年二月，總會自我檢討，對二二八事件以來，數以萬計的台灣同胞慘遭殺害或被捕入獄，因懾於當局的戒嚴統治，除了極少數傳教師和信徒，個別的、零星的關懷受難家屬之外，整體教會並未給予應有的聲援和溫暖。可見我們的愛心誠然不足，無以勝過懼怕。爲此，教會向二二八事件全體受難者及家屬表示歉疚，並懇請上帝憐憫寬恕。教會並允諾，今後將積極關懷二二八事件受難者和家屬，以完成十字架的使命。

一九九一年，二二八關懷聯合會成立，林茂生博士的公子林宗義教授被推選爲理事長；麗珍也以受難家屬身分，擔任副理事長，找尋和探訪受難者與家屬，並與相關單位聯繫協調。工作繁複，人事交纏，但傾聽暗處傳來的泣聲，撫慰破碎的心靈，正是使命所在。

十年來，二二八公義和平運動具體的呼籲和要求，幾乎已一一實現。但

是，最艱難、細微的心靈重建工程，還待繼續努力。

如今回顧，教會處境最艱、政治迫害最力的時候，信徒數量反而增加。一九七九年，長老教會信徒約十六萬人；我被捕後，人數劇增，到一九八九年我退休時，信徒人數已達二十一萬人，增加了四萬多人。這在台灣的教會史上屢見不鮮：最困難的時候，反而是教會最茁壯的時候。

義雄與我

愛是恆久忍耐，又有恩慈；愛是不嫉妒；
愛是不自誇，不張狂；
不做害羞的事，不求自己的益處；
不輕易發怒，不計算人的惡；
不喜歡不義，只喜歡真理；
凡事包容，凡事相信，凡事盼望，凡事忍耐。

信仰路上以道會友

我不善言詞，因此安靜不愛講話；或許因安靜不愛講話，因此不善言詞。基本上是個難得講話、也難得寫信的人。奇妙的是，有些朋友，雖然時空阻隔，久未聯絡，一旦重逢，卻無生疏，心靈相通，彼此了解，好像未曾分離過。

我與書宗三兄弟如此。他們的信仰都比我好，從小就常常去教會做禮拜。特別是書德，從日本留學歸來，就讀成功大學建築系，後來赴加拿大就讀著

名的神學院 Knox College。畢業後，自願擔任加拿大印地安人地區的宣教師，三十餘年來致力於加拿大原住民的傳教工作。他很有文學才華，日語、英語都很好，曾受選擔任加拿大中會議長。

書宗在日本完成醫學院教育後，回台南開業行醫，在太平境教會當長老，很活躍，也很受人尊敬。書文是台大醫學院教授，病理學方面的權威，濟南教會的長老。他們自幼而長而老，一生都是教會的棟樑。

我與蔡敬仁、盧恩盛、和許多朋友也如此，都是疏而親的關係。我和蔡敬仁自幼一起長大，在日本求學，我住他家；戰後返台，就讀長榮中學，他住我家。日後他讀台大工學院，娶了我妹妹興華，成了我的妹婿，後全家旅居美國。平日我們少有聯絡，偶一見面，卻非常親近。

盧恩盛是我在長榮中學和台南神學院的同學，畢業後去美國當牧師，拿了兩個博士學位。一九九八年我受邀赴美國訪問，剛好他的教會舉行三十周年系列培靈會，我與他重逢，在他的住處住了三、四天。隔了幾十年的空白歲月，我們卻很有話講，很好的交談，很好的交往。

我與義雄兄也是如此。我們相識於獄中，他在牢內自修日語，有問題，就寫筆記問我，丟入我房間；平日放封時，錯肩而過，彼此點頭致意；後來警

戒稍懈，我們還能說說話。比鄰而居四年餘，我們倆於同一天釋放，各自出獄，各自過活。若以世俗的標準而論，我們不算深交，只算神交。

愛是最後的勝利者

一九八五年元旦，義雄兄爲母親和雙胞胎女兒假義光教會舉行葬禮。蘭陽親友以「丟丟銅仔」和「我的邦妮」二曲，迎接遺靈返鄉。前者是在林母生前，林家最常合唱的宜蘭民謠；後者是亮均、亭均最喜歡的歌。我應義雄兄之邀，代表遺族向全體親友致哀謝，並致告別式慰詞。我以「愛是最後的勝利者」，在告別式和追思禮拜中致詞如下：

「…義雄先生說他不是基督徒，但他卻在基督教的聖經裡發現了一段金言：『愛是恆久忍耐，又有恩慈；愛是不嫉妒；愛是不自誇，不張狂；不做害羞的事，不求自己的益處；不輕易發怒，不計算人的惡；不喜歡不義，只喜歡真理；凡事包容，凡事相信，凡事盼望，凡事忍耐。』（新約．哥林多前書十三章）

不僅如此，義雄先生也非常喜愛〈聖法蘭西斯的禱告〉。在以『主啊，使我成爲您和平的工具』爲開頭的這篇禱告中，義雄先生特別喜愛下面六句：

在憎恨之處，播下愛；
在傷痕之處，播下寬恕；
在幽暗之處，播下光明；
主啊，使我不求受安慰，但求安慰人；
不求被了解，但求了解人；
不求被愛，但求全心付出愛。

由義雄先生所喜愛的這些金言中，我們不難窺知在經過這麼大的風暴後，他更有堅定的決志要成爲熱心愛眞理、愛同胞、愛人類的人。

⋯⋯我們確信，『愛』是最後的勝利者；『善』是最後的勝利者；創造宇宙萬物的『眞神』是最後的勝利者。

義雄先生全家人寫說：『親愛的母親，我們絕不會讓您失望，我們要您死得有價值。』是的，這也是我們作爲林家親友的心聲⋯⋯」

義雄日後旅居海外，並陸續於美國哈佛大學、英國劍橋大學和日本筑波大學深造。一九八九年年底返台，攜回自撰的《台灣共和國基本法草案》和《心的錘鍊——淺談非武力抗爭》，作爲給台灣的禮物。

那次是他去國多年後，首度踏上故土。那年四月七日，鄭南榕先生自焚。他非常關心鄭南榕的遺眷，葉菊蘭和鄭竹梅母女的生活，以及台灣社會的變遷和未來。有幾度他邀我同往鄭南榕靈堂，和葉菊蘭的立委競選總部拜訪。

在途中，他緊緊握住我的手，請我替他祈禱。我祈禱後，他彷彿略略平靜；之後，他又握緊我的手，請我再替他祈禱。他的內心，似乎有許多說不出的巨大痛苦。我想，台灣沒有人像他那樣，遭逢如此巨大的磨難和苦楚，我一次又一次爲他祈禱。

有一次他邀我同赴宜蘭。他對宜蘭鄉親說，請高牧師帶領大家祈禱；祈禱完畢，若是教徒，依例說「阿們」；若不是教徒，而又同意牧師的祈禱，就說「贊成」。

我覺得這樣很好。「阿們」在猶太語中，就是「心所願」的意思。早期台灣基督徒祈禱完畢時，即是答以「心所願」。

一九八九年五月十九日，鄭南榕出殯式在士林廢河道舉行，有數萬民眾送行。出殯前，我帶領大家祈禱，並說明：「如果你們贊成我祈禱的內容，我說阿們以後，你們就說贊成。」祈禱完畢，我依例說阿們，結果在場回應整齊而宏亮的「贊成」聲。此後在多次遊行或公眾場合的祈禱，就沿此成習。

一九九一年，台大學生在校門口絕食，抗議國民大會胡亂修憲。義雄兄約我見面，說他想陪學生絕食，問我能不能一起去？我說：「好。」

從那次開始，我與義雄兄之間的交往，大抵是這種模式。他邀我參加活動，我一定說：「好。」核四公投千里苦行或其他活動，都是如此。

回歸自然的浸信禮

我們坐牢期間，奐均赴美國就讀。經素敏姐同窗好友協助，住休士頓的鄉間，幽靜單純，以便安養。鄭兒玉牧師透過馬好留牧師（Dr. McCall），請當地美籍牧師及教友就近照顧，後來奐均又遷到洛杉磯。麗珍赴美訪問時，儘可能前往探視。其宅牆面掛有雷根總統的獎狀，可見成績優秀。

奐均大都前往美國人的教會，做禮拜，參加查經班，後來還自己組織帶領查經班。奐均小時候，我不認識她；事件過後，她最艱難的成長時期，我在獄中；我第一次見到她時，她已經在美國讀高中。我們唯恐林宅血案的陰影，使她終生眉頭深鎖，難展笑顏。但後來，我們很高興，她神蹟似的長成一位溫柔體貼、有思想有內涵的堅定女性。

一九九四年，義雄兄赴美參加奐均的大學畢業典禮，奐均表示想要受洗。

在宜蘭武荖坑溪上游的清澈溪澗，為奐均施浸信禮。左起：高俊明、林奐均、林義雄、方素敏。

義雄兄很高興，說：「好啊，要洗禮的話，就回來義光教會，請高牧師幫妳洗禮。」奐均果眞回來了。

我不是義光教會的牧師，但義光教會決定聘請我爲奐均施洗。不過，奐均希望行「浸禮」，這就考倒師父了。義光教會是屬長老教會，沒有浸禮的設備，若去浸信會借，也失去在義光教會洗禮的重要意義。

後來我想，不如擇一條宜蘭鄉間溪流，在大自然中洗禮。義雄兄覺得此議不錯，於是回宜蘭老家找尋，找到武荖坑溪上游，一處乾淨優美的溪澗。

那是一次難忘的洗禮。義雄兄租了一輛遊覽車，請林家的親友到場觀禮。奐均穿上聖歌隊的白衣，我穿上特別訂製的白長袍，讓她浸入水中。溪水清澈，石生青苔，我們在鳥囀蟲鳴的悠

悠天地間，在遠道而來的親友祝福中，行了最原始、最自然的浸信禮。那也是我多年來，首度見到義雄兄由衷的歡顏，以前我不曾看過他那麼開懷。

苦難中的信仰力量

義雄兄推動核四公投千里苦行運動時，有時奐均也參加。義雄兄爲運動做了一首詩：「我愛台灣」。這首詩從頭到尾，只有重覆四個字「我愛台灣」。學音樂的奐均，則爲這「一句詩」譜曲，將「我愛台灣，我愛台灣，我愛台灣⋯⋯」譜成一首歌。義雄兄很高興，便要奐均教大家唱。

參加千里苦行的民眾，許多是街頭運動老將，各種性格都有。但奐均以一種很謙卑、很溫柔的態度，慢慢的唱，慢慢的教，和大家相處得很好。

奐均的丈夫是美國人，是她哥倫比亞大學的學長，兩口子如今已經爲人父母了。他們很恩愛，都愛作詩作曲，愛合唱，信仰堅定。義雄兄升格當祖父那一天，整天喜孜孜笑呵呵，公開向世人宣示身爲祖父的快樂。

素敏姐較早也受洗信主，寫了自己的見証〈哀慟的人有福了，因爲她必得安慰〉，感動許多人，撫慰許多受創的心靈，還被譯成英文。文中提到：

「⋯⋯漸漸地我學習祈禱，在禱告中，我瞥見了上帝的聖手在扶持我，我不再

奐均結婚後，與夫婿回娘家，在義光教會接受親友的祝福。右一是新郎倌，左一即高俊明。

那麼孤獨，那麼無助。就如詩篇第二十三篇第四節所說的「我雖然行經死蔭幽谷，也不怕遭害怕。因為你與我同在。你的杖、你的竿，都安慰我。」藉著高俊明牧師娘的介紹及引領，我更看到從日本來的三根指頭田原米子女士和從新加坡回國的許女士張俊宏太太的妹妹，他們由親身體驗所做的見証，使我深受感動。且每週四的禁食祈禱會，看到眾多弟兄姐妹為苦難中的人祈禱，以禁食與受難者一同分擔苦難，更增加我追求的意志和決心。……我不再遲疑了，我漸漸學會把萬事交託給主，我不再徬徨，我把一切倚靠主。

……每次到看守所和義雄會面時，生離死別，淒涼滋味湧上心頭，我倆淚眼盈眶相對，哽咽不能言。……我期盼耶穌在十字架上所流的寶血，能洗清世間一切罪惡和誤解，讓我家的不幸成為這世界最後一次的不幸；讓我們的社會在基督的愛裡，充滿著互

相寬容、互相赦免；讓我們生存在充滿公義、仁愛、和平的喜樂世界裡。」

義雄兄不曾中止思想和信仰的追求，但他不太喜歡傳統的形式。有人就是如此：不常去教堂、做禮拜，但常常自己讀聖經、祈禱。日本的無教會主義者就是這樣：否定教會的組織，不領洗，也不反對領洗；但很認眞研讀聖經，認眞祈禱。他們也沒有舉行聖餐。他們認為：「只要本著基督的愛心，一起吃飯，一起喝味噌湯，也可以稱為聖餐。」當時耶穌和門徒用餐，就是這樣吃麵包，喝葡萄酒。所以這些人認為，依風土人情吃飯喝湯，也能夠像主耶穌那樣，有實實在在的愛心。

我認為，義雄兄在信仰上也是如此。他的信仰，是一種氣質，一種生命的態度。

台灣新世紀

在這場台灣戰後最慘重的災難中，我們看到了巨大的愛心。台灣人民拋開自私自利，展現令人動容的愛的力量。如何在災後重建心靈、重建人生，產生新的力量，勝過死亡和絕望，這是新世紀台灣人的共同課題。

松年大學　活到老學到老

一九八九年，我從總會總幹事職務退休，時已六十一歲。雖說總幹事的退休年齡是六十五歲，但我認爲做了近十九年，實在太久，因此堅持退休。一個人不應該在同一職位做太久，否則會喪失創意和活力，缺點多於優點。我之所以成爲總會史上空前的，並且可能也是絕後的，任期最長的總幹事，有特殊的時空背景和歷史情境。我相信，以後台灣應是持續而穩定的邁向進步之路，教會再也不需要任期這麼久的總幹事了。

總幹事的職務可以退休，但牧師是終身職，無法除役。退休後，總會分派任務給我：發展松年大學。當時台灣有超過一百三十萬名六十五歲以上的老

上：前後期的總會總幹事。左起：楊啓壽牧師、黃武東牧師、高俊明牧師。
下：與松年大學畢業生合影。

人，大多寂寞孤單，每年有兩、三百位老人自殺。總會針對台灣社會高齡化的現象，設法爲精神和生活無依的老人，尋找出路。剛好教會內部有兩、三個單位同時提出議案，讓退休老人能繼續學習知識和技藝，繼續和社會保持聯繫。

總會派給我這個事工，我覺得很有意義，也很想利用所剩的人生，繼續奉獻；於是邀集一群牧師和長老共商此事，提出四年制松年大學的構想。

剛開始接任校長時，並沒有把握。結果比預期來得非常成功。松年大學不僅報名踴躍，上課率高，學生畢業後欲罷不能，爲此我們還得繼續辦碩士班。有人一讀就是七年，風雨無阻的全勤。看見六、七十歲，或八、九十歲的老人，勤勉上學，做功課，眞是令人感動；有的學生甚至說他要讀到一百歲。

松年大學開辦至今十一年，已有三十三間分校，兩千七百名學生。每所分校都有校長和老師，我只負責掌舵，到校教書；以及開學和結業典禮時，到場講道，勉勵大家。這是我最喜歡的工作：教書、傳道、教育和服務。

災區重建　教會長期投入

二十一世紀前夕，一九九九年，台灣發生傷亡慘重的九二一大地震。在天搖地動彷彿末日的時刻，長老教會是最早展開救援行動的機構之一。地震發生於凌晨一點四十七分，彰化基督教醫院黃昭聲院長於十三分鐘之後，便緊急開會討論救災與工作分組，前往災區現場搶救。

此外，在地震中毀壞的埔里基督教醫院，發揮偉大的救難精神，把病患全部移到安全地點，並全力搶救各地湧入的傷患。馬偕醫院、新樓醫院也加派醫護人員前往助力，在斷壁殘垣、屍橫遍野、哭聲處處的人間煉獄，搶救每一絲可能的生命跡象。各地方教會和神學院師生，也在第一時間內趕赴災區，出錢出力，送去黑暗中的微光。

九月二十二日以後，總會逐次架構救災指揮系統，二十三日，成立救災指揮中心。總會總幹事羅榮光牧師與黃昭聲院長商議配合事宜。黃院長說，彰化基督教醫院樂捐一千萬元，供總會做救災工作，盼望總會能向教會機構募捐一億元，以完成此龐大而漫長的重建工程。

歷年來教會的慈善募捐，幾百萬幾千萬元，是常有的事，但還不曾有過上億元的紀錄。這對教會似乎是一項挑戰，但事實上，震災捐款目前已經超過了三億元。

二十四日，總會發出第一份快報給各地教會，報導、動員和協調救災工作；並以草屯、南投、東榮教會爲基地，在災區成立前進指揮所，調派人力物資，並陸續建立各種體系，參與救災和重建。

台灣基督長老教會是普世教會的一分子，主張積極參與國際社會，不曾自

1999年九二一地震後，與教會義工赴災區幫忙。

外於地球村。一九九五年日本阪神大地震時，台灣基督長老教會是全世界第一個伸出援手，並捐出預備金救災的國際教會。九二一大地震時，日本基督教團也是最早對我們伸出援手的國際團體，不僅捐款，還派代表前來關心。美國、德國、瑞士等二十幾個有姐妹關係的教會，也積極伸出援手，提供精神與物質上的援助。

我曾數度與外國代表進入災區，前往東勢、埔里、草屯、南投、霧社、萬大等地，和原住民的部落，時而住帳棚，時而住破屋，餘震不斷，災民的哀傷與恐懼日益滋長。但見義工捨己忘我，不顧安危，克服困難，解決問題，處處有愛的痕跡和見証。

十月十五日，總會確定救災與重建工作的階段性任務如下：

第一階段（緊急救援）：災後三週內，探視災區，

分發救助金、救援物資等。

第二階段（牧者和災民安置）：災後兩個月內，舉行追思與紀念禮拜，搭建組合屋，協談關懷，心靈重建等。

第三階段（災後四年內）：教會與社區重建。總會規畫社區重建關懷站，以地方教會爲基礎，參與社區的重建。主要工作是災民心靈重建、社區重建，整合各方資源，發動義工與訓練。

九二一地震是一場無從防範的災禍，就在那短短幾分鐘之後，生命沒了，財產沒了，房舍沒了，希望也沒了。不論男女老少，有人於剎那，成了人間孤兒，即使倖存，也生不如死。凡此種種痛苦，都不是金錢和組合屋能夠彌補的。

其中，以第三階段的重建工作最爲艱鉅。至二〇〇〇年三月，長老教會已陸續成立十七個社區重建關懷站，分別位於東勢、石岡、國姓、新社、霧峰、南投、集集、魚池、中寮、竹山、埔里、霧社、春陽、武界、鹿谷、信義等鄉鎮和部落，從事社區需求基本服務和特定族群專案服務。前者包括家庭訪視、社會福利資源諮詢與轉介、居家照護、原住民部落重建、記錄社區發展等；後者包括悲傷輔導協談、單親家庭互助團體、兒童托育與課後輔

1998年，參加台北市政府廣場「Say No to China」的活動。左起索拉茲、呂秀蓮、陳水扁、高俊明。

導、青少年成長團體、婦女支持團體等。

在這場台灣戰後最慘重的災難中，我們看到了巨大的愛心。台灣人民拋開自私自利，展現令人動容的愛的力量。但是，災難不是人所能克服的，必須靠上帝引導，才能逐步重建心靈、重建人生，產生新的力量，勝過死亡和絕望，這是新世紀台灣人的共同課題。

政權轉移　台灣改革不易

一九九九年，陳水扁和呂秀蓮代表民進黨參選第二屆民選總統。台灣基督長老教會總會認爲這次選舉，是前所未有的政黨輪替機會，台灣人民得以脫離四百年外來政權統治的宿命，應確切把握，使台灣人的人權和尊嚴，得到保障；使台灣前途能夠光明，眞正成爲主權獨立的國家。

再者，在五組正副總統候選人當中，陳水扁呂秀蓮這組最爲優秀。因此長老教會史無前例的，以總會議長許

2000年總統大選，高李麗珍擔任水蓮會會長，四處奔波助選。圖中持麥克風者是呂秀蓮，其右即高李麗珍。

天賢牧師為總召集人，以前後屆重要幹部為召集人，以總幹事羅榮光牧師為執行幹事，組織選舉後援會，全力支持陳水扁與呂秀蓮。

選舉期間，我負責關心山區原住民，麗珍被推為「水蓮會」會長。選前兩個月，台灣政情緊繃至極。有的候選人拼命說謊圓謊，國民黨則以股市崩盤經濟蕭條恐嚇，以兩岸戰事再起相脅，最後朱鎔基竟然也隔海威脅台灣人民。台灣的選舉成為世界頭條新聞，全球都屏息注目。到底台灣人民在國民黨的恐嚇下，在對岸的武力威脅下，在各種或新或舊的謠言中，站在二十一世紀的十字路口，將選擇哪一個方向？

二〇〇〇年三月十八日，第二屆民選總統投票日，清晨，我與麗珍相偕禮拜祈禱，跪求主耶穌，保佑台灣萬世代平安。是夜，選舉結果揭曉，在淚眼和歡欣中，我們更祈求上主保佑往後的路，讓政權得以和平轉移。

轉移政權何其不易，多少先例是歷經戰爭和流血。我

曾聽李登輝先生提及，一九八八年蔣經國去世，他繼任總統和國民黨主席。國民黨是全台第一大黨，也是全世界最富有的政黨，乍看好像大權在握。事實上，他雖有總統和黨主席之名，卻毫無實權，有些領域甚至無法過問。這種徒有虛名、內外煎熬的日子，大約過了三年，他才逐步控制政局，漸漸發揮影響力，釋放所有的政治犯，停止白色恐怖，促進台灣民主，被國際人士稱爲「民主先生」。

黨內的政權轉移都如此艱辛，何況政黨輪替。國民黨全面控制台灣的黨政軍特媒體……達半世紀之久，弊病既多且深。好比一幢搖搖欲墜的建築，門窗、天花板、水管、油漆……，到處都有問題，亟待修復。修復舊建築，比起造新建築來得艱辛；何況這幢舊建築內，還住有許許多多的舊人家。

新政府面臨的是：舊勢力的抵制，少數國會的局面，百分之三十九的選民支持，以及不到百分之一的新人在新政府辦事。因此，可能需要更久的時間，才能一步步看到改革成果。

所以，新政府成立將近一年，政績與民間期待有落差時，有人問我如何看待台灣的未來。我想到戰後從日本搭船回台途中，吳振坤教授曾引用聖經出埃及記的故事，來鼓勵我們努力重建家園。

未來目標　眞善美的國度

以色列人在埃及當了四百三十年的奴隸，爲了生存，失去原則，失去是非，失去獨立思考能力，凡事聽命於人，以自己的利益爲中心，這就是奴隸性。上帝引導以色列人出埃及，前往流奶與蜜的迦南地。雖然地理上兩者只需兩星期的路程，上帝卻讓他們在曠野中流浪四十年，在各種苦難、引誘、迷惑中，受盡試煉，終於造就以色列人成爲一個優秀的民族，對世界做出偉大的貢獻。

台灣人也是如此。外來政權統治台灣三、四百年，台灣人始終是二等公民、三等公民，不曾自己當家做主，不曾有獨立思考能力，也不曾有擔當責任的機會。我們需要更多的磨練，來消除或隱或顯的奴隸性，培養成熟的民主人格。爲了重建眞善美的新國度，我們必須有接受長期磨練的決心和毅力。

建立眞善美的新國度，要從各個層面來努力：

一、培養新的國民。這必得從教育著手。以前的舊式教育幾乎是中國化或異國化的洗腦，新教育必須台灣化、本土化，使二千三百萬人自然而然認同台灣爲國家。

二、推廣新的文化。舊政府主張文化大一統，中原化；我們剛好相反，必

須尊重在地的原住民、河洛人、客家人、新住民的文化，來創作多元的心台灣文化。

三、建立新的國會。從發表〈對國是的聲明與建議〉時，我們就主張廢除萬年國會；如今我們更要減半國會，減少數量，提高質量，杜絕黑金文化。

四、制訂新的憲法。舊憲法的領土仍及於中國大陸和外蒙古，國名仍是一個不被國際社會承認的中華民國。我們必須重新制訂一套實實在在規範領土主權和名稱的新憲法。

五、重建新台灣魂。發揚誠實、勤勉、善良、樸實、友善、上進的民族精神，認同本土，疼愛故鄉。

六、美化新環境。恢復乾淨的空氣、海洋、溪流、森林和土地，建立非核家園，回歸山明水秀、鳥語花香的美麗島。

上述六新，是我心目中眞善美新國度的具體目標，必得每日努力奮進，新世紀的台灣，才有光明的未來。

走在信仰大道

我時常靜思摩西祈禱中的幾句話：
「我們度盡的年歲，好像一聲歎息。
求您指教我們怎樣數算自己的日子。」
至今我不曾對自己的選擇後悔，
我始終確信那是主耶穌對我的良心在說話。
我更加確信，假如沒有這些苦難，
我的人生一定是最乏味、最無用的人生。

生活祈禱　祈禱生活

身為基督徒，祈禱是我的本分，我的享受。

每天清晨六點早起，祈禱感謝並懺悔。懺悔昨日工作不夠額，懺悔做事不夠盡心盡力；甚至搭乘公車，為了趕時間便不禮讓給別人先走，也在晨光中一一告白懺悔，求主慈赦。

我祈禱今日更有力量，工作更多，超越更多。我為世界和平祈禱，為新政

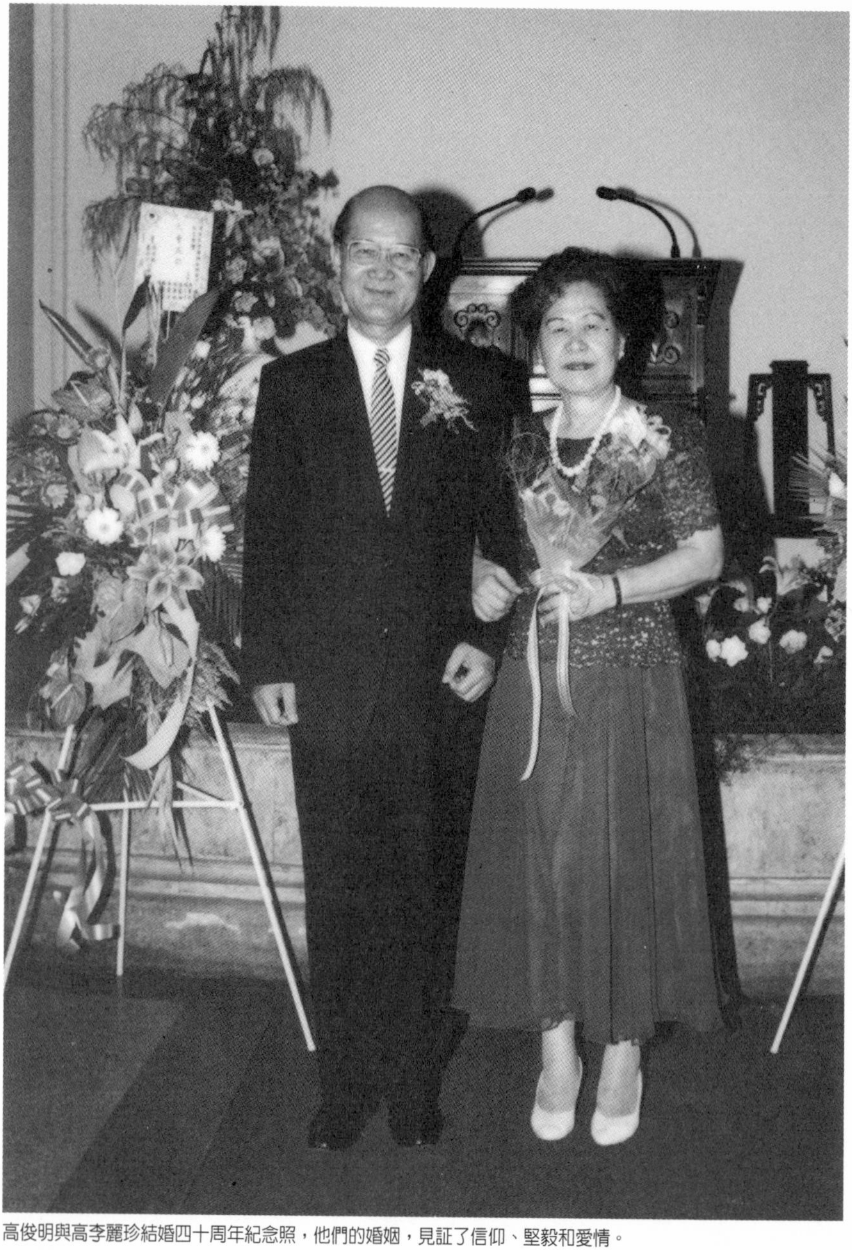

高俊明與高李麗珍結婚四十周年紀念照，他們的婚姻，見証了信仰、堅毅和愛情。

府和二千三百萬台灣人民祈禱，為親友祈禱，為家人祈禱，為特別的事工祈禱。

除了例行性的晨禱、三餐祈禱、睡前祈禱，我也幾乎時時刻刻在心中祈禱。走路時祈禱，講話時祈禱，打桌球時也祈禱。我隨時祈禱，因此我常常喜樂。做事歡喜，認識別人歡喜，連喝一杯茶也歡喜。當然人生充滿哀傷和挫折，但我總因祈禱而得到力量。對我而言，祈禱即生活，生活即祈禱。

信仰的生活充滿喜樂，也有無數的見證。我的祖父高長，本來是一個失業青年，因為得到信仰，人生大大的改變。此後家族興隆，如今已有子孫上千，今昔對照，實在是一個很大的奇蹟。

我的父母親虔誠信主，一生相親相愛，從來沒有大小聲過，對兒女也很疼惜。從他們身上，可以看到信仰的力量。

戰時我在日本留學，生活最惡劣的時候，三餐只能吃豆渣。戰後返家，吃蕃薯籤稀飯，反而不覺得苦。戰火最烈時，目睹人間悲劇，無比傷痛淒涼，卻也是在那個時候，才堅定我的信仰。上帝賜我以磨難，也賜我以健康；惠我痛苦，也惠我希望。這是我寶貴的見證。

退休至今，我應邀赴國外演講，每年總有好幾次；國內講道則有一百到兩

百多場。雖然年過七十，仍然身體健康，精神昂揚，可以奉獻事工，和大家分享生命的喜樂；也可以有機會不斷學習，自我成長，繼續爲社會服務。這實在是上帝的恩典。

歷經苦難　精彩人生

想一想，我的人生實在單純。玉山神學院十三年半，總會總幹事十八年多，松年大學校長至今十一年了。穿慣了的衣服，喜歡一直穿下去；住慣了的房子，喜歡一直住下去；麗珍不在家時，我赴同一家餐館吃飯，點同一道菜；水果喜愛香蕉，點心喜歡巧克力，有生魚片算盛宴……

長子慕源現於洛杉磯做基督教《愛家》雜誌的美術設計。小女兒黎理自台灣神學院畢業，嫁與劉錦昌牧師。大女兒黎香畢業於台灣神學院、英國Selly Oak Colleges，和美國的Presbyterian School of Christian Education，簡稱P.S.C.E.，返台任教玉山神學院。她嫁給排灣族傳教師戴明雄，婚後定居台東，牧養新香蘭教會，育有二女，家庭幸福美滿。而我也是七個孫子的祖父了，事事平安，我心常悅。

猶記入獄之初，在幽暗惡臭的牢房，獨自一人，過五十二歲生日。當時曾

ENDS:
ERRY CHRISTMAS & A HAPPY NEW YEAR
FROM OUR HOME TO YOURS,
MAY YOUR LIVES BE FILLED WITH JOY IN HIS LOVE.
from the Kao's family
俊明・麗珍
C.M. & Ruth
錦昌・沐比・沐祈・黎理
Gim-Chhiong Bi-Bi Gi-Gi Lily
・慕源・恩霖・淑雅・德霖
iam Joseph Sharon Benjamin
明雄・恩恩・黎香・以珊
Sakinu Aberon Theresa I-Sun
聖誕快樂・新年恭禧
願　天父上帝豐盛的慈愛帶給您喜樂的人生
高家一同敬賀　12. 2000

高俊明家的2000年聖誕卡，一如往昔，是全家三代，感謝天父上帝的慈愛，感謝喜樂的人生，並向親友請安。

寫一封獄中書簡，向總會議長和教會的兄弟姐妹請安，並檢視自己的半生：

「回想過去的人生，我曾遭遇許多苦難：我曾在第二次世界大戰中突破生死線，曾患兩次重病，曾在航海中遭遇兩次暴風，曾遭遇一次飛機失事，曾遭新聞、雜誌多次的惡意攻擊，曾接到要把我『斬草除根』的恐嚇信。但現在，這一切都成為我人生中不可或缺的寶貴經驗。假如沒有這些苦難，我的人生一定是最乏味、最無用的人生了。」

這封獄中書簡，寫於二十年前；二十年後的如今，依然適用檢視我的下半生。

我時常靜思摩西祈禱中的幾句話：「…我們度盡的年歲，好像一聲歎息。…求您指教我們怎樣數算自己的日子。」（詩篇九十篇九、十三節）是的，我們的年歲好像一聲歎息，轉眼成

空，隨風而逝。

至今我不曾對自己的選擇後悔，我始終確信那是主耶穌對我的良心在說話。我更加確信，假如沒有這些苦難，我的人生一定是最乏味、最無用的人生。

哥林多後書第四章第八節至十二節：「我們常遭遇困難，卻沒有被壓碎；常有疑慮，卻未嘗絕望；有許多仇敵，但總有朋友；常被打倒，卻沒有喪亡。我們必朽的身體時常帶著耶穌的死，耶穌的生命也同時顯明在我們身上。我們活在世上，常常為了耶穌的緣故冒著死亡的危險，為的要使他的生命能夠在我們這必朽的身上顯明出來。這就是說，我們常常面對死亡，你們卻因此得生命。」

十六節至十八節：「⋯因此，我們從不灰心，雖然我們外在的身軀漸漸衰敗，我們內在的生命卻日日更新。我們所遭受這短暫的痛苦要為我們帶來永久的榮耀。我們並不關心看得見的事物，而是關心看不見的事物。看得見的是暫時的；看不見的是永恆的。」

我時時以此祈禱，阿們。

二〇〇一年四月五日

簡明大事記

※說明：爲呈現比較清楚的歷史脈絡，本表從高俊明牧師的祖父高長起載，年齡皆用虛歲。

日期	年齡	大事記
1865.5.27		英國長老教會宣教師馬雅各醫生來台。
1865.6.16		馬雅各在台灣府城創設禮拜堂，正式宣教。
1837		祖父高長出生。原籍福建泉州。
1864		高長自廈門渡海來台，落籍台灣府。
1866.8.12		高長受洗，成爲台灣基督長老教會第一個信徒。
1867.7		高長任埤頭（鳳山）教會首任傳道師。
1868.4.11		發生埤頭迫害事件，高長入獄，坐牢五十天。
1874		高長與洪雅平埔族的朱鶯結婚。
1876		高長開始在中部山地教會傳道，約十年之久。

1883.1.1		父親高再得出生於烏牛欄教會（在今南投埔里）。
1886.5		高長赴澎湖傳道，爲澎湖設教傳道之始。
1890		母親侯青蓮出生於漢醫家庭。
1899		祖母朱鶯逝世，享年四十三歲。
1907		父親高再得，與侯青蓮結婚。
1912.9.16		高長逝世，享年七十六歲。
1929.6.6		高俊明牧師生於台南。
1932.8.19	4 歲	妻李麗珍出生於旗後。
1935	7 歲	三哥高俊耀逝世，臨終得了信仰與見證。
1939	11 歲	小學五年級，赴日本東京留學。住蔡培火家。
1942	14 歲	考進東京青山學院中學部。
1943	15 歲	太平洋戰爭緊迫，學校停課，派往工廠做工。
1945.8.15	17 歲	日本宣佈無條件投降。恢復上課，時中學三年級。
1946.1	18 歲	返回台灣。就讀長榮中學初中部三年級。
1947.3.6	19 歲	二二八事件發生，李麗珍的大哥罹難。
1947.8.7	19 歲	父親高再得逝世，享年六十五歲。

1949	20 歲	高中畢業，考入台南神學院。
1950	22 歲	赴台南岡仔林教會實習。祖父高長曾於此牧會。
1953.6	25 歲	畢業於台南神學院，開始在南台灣的原住民山區巡迴傳道。
1957.1.10	29 歲	受封立爲台灣基督長老教會牧師。
1957.4	29 歲	應聘爲花蓮玉山神學院教員，培養原住民傳道人才。
1957.9	29 歲	任玉山神學院院長。(~1970.8)
1958.2.14	30 歲	與李麗珍結婚。
1959	31 歲	玉山神學院遷至花蓮鯉魚潭畔。長子高慕源出生。
1962	34 歲	日文詩集《瞑想の森》結集出版。
1962.7	34 歲	赴日本鶴川農村傳道神學校進修。(~1963.8)
1963.9	35 歲	赴英國雪梨奧克學院進修。(~1964.5)
1970.7.27	42 歲	被選爲長老教會第十七屆總會議長。
1970.8.18	42 歲	任長老教會總會總幹事。(~1989.4.30)
1971	43 歲	因退出WC C一案，發表聲明闡明教會的信仰立

		場。
1971.10.25	43 歲	台灣退出聯合國。
1971.12.29	43 歲	長老教會發表〈對國是的聲明與建議〉，主張國會全面改選。
1972	44 歲	國民黨因長老教會之聲明，要求彌迪理牧師簽證期滿出境。
1973	45 歲	獲加拿大McGill大學與Presbyterian　神學院聯合榮譽神學博士學位。
1973.3.19	45 歲	黃彰輝牧師等人，在美國發表〈台灣人民自決運動宣言〉。
1975	47 歲	母親逝世，享年八十六歲。
1975.1	47 歲	國民黨查禁台語及原住民語版之聖經。
1975.11.18	47 歲	總會發表〈我們的呼籲〉，爭取信仰自由、社會公義與人權。
1977.8.16	49 歲	教會發表〈人權宣言〉，主張建立台灣爲「新而獨立的國家」。

1978.4	50 歲	連任總會總幹事。
1979.12.10	51 歲	美麗島事件發生。12 月23 日，許天賢牧師在主持禮拜時被捕。
1980.2.28	52 歲	林宅血案發生。
1980.4.24	52 歲	在自宅被捕，關進新店軍法看守所。
1980.4.27	52 歲	教會於各地舉行聯合禁食禱告會，聲援高俊明。
1980.6.5	52 歲	軍法宣判：以藏匿施明德，處有期徒刑七年，褫奪公權五年。
1981	53 歲	總會決議留任高牧師總幹事職位，直至獲釋歸來。
1982	54 歲	由林宅血案原址改建的義光教會落成。
1983.9.1	55 歲	爲聲援在獄中遭受迫害的林文珍長老，展開絕食抗議。
1983.12.2	55 歲	增額立委選舉。高李麗珍被國民黨做票，在第四選區高票落選。
1984	56 歲	獲加拿大Knox College　榮譽神學博士學位。
1984.8.15	56 歲	出獄。計坐牢四年三個月又二十一天。

1985	57 歲	應邀出國訪問，答謝世界各地人士的聲援與關懷。
1985	57 歲	再度連任總幹事。前後共十九年，為史上任期最久的總幹事。
1986	58 歲	獲得台美基金會服務獎與一萬美元獎金，全額奉獻原住民宣教事工。
1987.1	59 歲	鄭南榕發起二二八和平日促進會，長老教會積極參與各活動。
1987.7.15	59 歲	台灣解除戒嚴，實施國安法。
1988.1.16	60 歲	蔡許台獨案宣判。長老教會展開聲援，牧師首次上街頭。
1988.12.31	60 歲	原住民推倒吳鳳像。長老教會積極推展原住民人權活動。
1989.1.28	61 歲	長老教會參與發起二二八公義和平運動。
1989.4.30	61 歲	從總幹事退休，發展松年大學。並開始赴世界各地巡迴傳道。
1990	62 歲	長老教會參與反對軍人干政活動。

1991	63 歲	二二八關懷聯合會成立，高李麗珍擔任副理事長。
1991	63 歲	抗議國民大會亂改憲法，加入台大學生的絕食靜坐活動。
1992.4	64 歲	長老教會參與總統直選大遊行。
1992.12.4	64 歲	應國際特赦組織之邀，發表「基督徒的人權關懷」演講。
1994.9.21	66 歲	參加核四公投千里苦行活動。
1997	69 歲	獲台南神學院榮譽神學博士學位。
1999	71 歲	參加公民投票救台灣運動，持續絕食十一天。
1999.9.21	71 歲	九二一地震。長老教會展開救災行動。十月，擬定四年重建計劃。
2000.3.18	72 歲	陳水扁、呂秀蓮當選正副總統，台灣第一次政權和平轉移。
2000.5	72 歲	受陳總統聘爲國策顧問。

充滿愛與勇氣的偉大心靈

羅榮光牧師跋

高俊明牧師不只是台灣國內許多人景仰的信仰人物，也是普世教會所尊敬的牧師。他的故事以及詩作常被傳誦，因爲他擁有一顆偉大的心靈，充滿愛與勇氣，也有許多傳奇性的生平故事。

三十多年前當我初識高牧師時，還在新竹縣境一間客家教會——湖口教會擔任牧師。聽見他領銜發表「國是聲明」，突破當時的政治禁忌，就打從心裡敬佩他的勇氣。後來，我從美國進修回來，任客家教會巡迴牧師四年多後，高牧師要我到總會事務所擔任傳道幹事，有更多與他共事與相處的時間。不久，遭逢美麗島事件，及至他因藏匿施明德而被捕下獄，是我人生歷程中永難忘懷的一段經歷，使我深深體會「背起十字架，跟隨基督」的眞諦——爲了遵從耶穌基督愛與眞理的教導，必須付出失去自由的代價。

還記得在高牧師被捕入獄前，即一九八〇年二月二十八日的中午，高牧師

神情凝重，要總會事務所工作的幾位幹事，立刻到會議室聚集。關上門，他就一面流淚，一面告訴我們林義雄先生家發生慘案。我們立即跪下來，一同流淚懇切祈禱。那段期間，我經常瞥見高牧師流淚，他是一位「流淚的牧師」，正如舊約聖經中的先知耶利米，常常爲憂國憂民而流淚。

高牧師在獄中四年多期間，普世教會的信函如雪片飛來，表達關切，並且要求統治者蔣經國早日釋放他，也有不少普世教會的領袖，專程來台赴獄中探望高牧師，與高牧師一起守聖餐。高牧師爲見證基督的信仰而入獄多年，終被喻爲「二十世紀的使徒保羅」，因爲使徒保羅爲了宣揚基督福音，也曾被捕下獄。在獄中高牧師寫出的信函，後來也被彙集成冊，名爲「獄中書信」。

爲了聲援高牧師及其他美麗島事件的受難者，台灣基督長老教會發起禁食祈禱會，起先是在高牧師被捕之後，立即在台灣各地舉行，以後固定每週四中午在台北城中教會舉行，持續多年。關心的牧師、信徒、社會人士以及受難家屬都會前來參加，而且我們還到受難家屬的家中舉行家庭禮拜，高牧師娘成爲關懷受難家屬的中心人物。

在這段參與的歷程中，也使我從受難家屬身上學習愛與希望的功課，只有

充滿愛，才會帶出希望。在充滿肅殺的氣氛中，就是要關心受難家屬，也必須有點覺悟與勇氣，以致使我深深體認托爾斯泰所言：「有愛的地方就有上帝。」使我個人在信仰上得到不少的成長。聖經說：「愛裡沒有懼怕。」（約翰壹書四章十八節），人若活在上帝的大愛中，也能彼此相愛，就能勝過恐懼。

當我仔細閱讀這本回憶錄的初稿時，從高牧師成長的背景與在日本留學的經歷，才使我體會一位信仰人物的產生並非偶然。高牧師出生於信仰世家，祖父高長伯是台灣教會的先驅，第一批受洗的基督徒，也是第一位傳道人。父親行醫卻很有愛心，能體恤貧困者；母親撫養十多個子女，也備極辛勞。少年時期的高牧師，深受俄國大文豪托爾斯泰與貧窮人一起勞動，以實踐基督愛與眞理的精神所感動。高牧師努力鍛練體魄，甚至體驗禁欲主義者的生活，也曾毫不畏懼地與惡徒打鬥，制服他……

在這本回憶錄中，他也毫不諱言地提到他曾很愛玩、懶散、不認眞讀書，小時候也有過膽小不敢走夜路之事，甚至也曾對基督信仰有過懷疑，具有人性眞實的一面，並不像一些「偉人」的傳記或回憶錄，總是加以美化，甚至神化。在書中也描述自己在日本，沒有考上中學，只好就讀夜校，深受同學

苦學打拼的影響，終於發奮圖強，以致在青山學院讀書時，品學兼優，全班第一名，這給現代青少年很好的啓發。

從這些描述中，我們也可以體會高牧師具有深刻反省的能力。高牧師形容戰爭是殺人的競賽，導致千千萬萬生靈塗炭；另一方面，戰爭卻也錘鍊高牧師的堅強意志，形塑他堅忍卓絕的性格。他後來不斷地強調要追求世界的公義和平，應是他經過戰爭洗禮後可貴的體悟。和平必須建基於公義，否則和平將是異常短促，衝突與戰事必然再起。

神學院就讀時期，他志願到愛護寮，服務肺病患者；神學院畢業後，他志願到原住民地區傳教，對原住民的愛與尊重，溢於言表。高牧師擔任玉山神學院長的年間，與楊啓壽牧師及其他老師們跟學生一起從事勞動生產，此一身教實遠勝於言教。

後來高牧師擔任台灣基督長老教會總會總幹事期間，正值台灣歷史充滿危機與轉機的時代，當時「中國」國民黨蔣家政權的統治神話逐漸被國際局勢之逆轉所揭露，蔣政權代表被逐出聯合國，以及接踵而至的外交挫敗與國際孤立，使「中華民國」政權統治下的台灣淪爲國際孤兒。多數民間團體噤若寒蟬。所幸，台灣基督長老教會能夠「用愛心說誠實話」，直指「國王」並

沒有穿「新衣」，一九七一年至一九七七年間前後發表「國是聲明」、「我們的呼籲」及「人權宣言」，嚴正表達台灣人民應擁有民主自由、人民自決甚至建立新而獨立國家的基本人權。高牧師與商議發表這些歷史性聲明與宣言的幾位牧長，事先寫好遺書，這種覺悟與決心，令人十分感佩。

在充滿危機的時代，高牧師高瞻遠矚，能洞察時代的徵兆，並有付諸行動的勇氣，這絕不是一般普通的牧師所能爲之。擔任總幹事期間，他關切時局，發出先知性的聲音，內心的掙扎，可想而知；必須面對部份教會內部人士的誤解與反對，更須應付外面一般傳播媒體的醜化與扭曲，還有國民黨黨政勢力的恫嚇、誘惑與打壓。所幸台灣基督長老教會在此艱辛與險惡的年代，有這位充滿「愛與勇氣」的指導者，終於使我們教會在此一關鍵性的年代，盡了應盡的本份與使命，積極參與，扭轉了台灣的歷史，並贏得普世教會的肯定與欽佩。

基督的信仰形塑高牧師有一顆充滿愛與勇氣的偉大心靈。他在獄中天天懇切祈禱，爲每個人、爲教會、爲國家、爲普世祈禱。他在獄中勤讀聖經好幾遍，並向獄中的室友傳福音。基督信仰也孕育他對人性尊嚴及對自由民主、公義、和平的崇尚與追求，他直到現在，仍然堅持到底，始終如一。

在解嚴前後，街頭運動蓬勃之時期，他是街頭運動的健將。他不怕被誤解、扭曲與批評，願意投身於具有敏感性的請願與抗爭行動中；甚至擔任民視公司董事時，還遭受無情的攻訐，他都不以為忤。究竟是什麼樣的信念與內在力量，使他這樣堅持呢？或許他在本回憶錄中的一段自述可以給我們答案，他說：「……有幸為台灣下獄，我深以為榮……」及「……最後，我要感謝天父上帝，用這些患難來磨煉我的心靈，我仍確信上帝的愛與公義是最後的勝利者。」對台灣的大愛以及堅心信靠人類歷史的主宰——充滿愛與公義的上帝，是他堅忍不拔的原動力。

在這本回憶錄中，有幾個篇幅是高牧師娘李麗珍女士的自述。高牧師娘對高牧師奮鬥之認同與支持，也同樣是有顆偉大的心靈；尤其是她對美麗島受難家屬的關懷，終於使當時黨外運動人士與長老教會逐漸結合起來。而高牧師自認為「缺席的父親」，他的子女也必須忍受。

台灣雖然艱辛地走過「中國」國民黨政權長年的戒嚴專制統治，進入政黨輪替執政與和平轉移政權的時代，如今卻又必須面對另一個「中國」共產黨政權的統戰、分化與武力威脅。台灣人要如何面對新的危機與困境，愈加Say Yes to Taiwan，尋求眞正的出頭天，我深信高牧師一生的信念與堅持，可以

給我們無限的靈感與感動。讀者可以用輕鬆的心情，讀故事書一樣閱讀這本回憶錄；也可以用敬謹的心研讀，以探索高牧師的心路歷程與其心靈世界。每位讀者必定能獲致充沛的啓發與感動，而產生見賢思齊的心志。

我有幸爲這本回憶錄作跋，也不斷地自勉，作爲後輩的我，也能多方學習高牧師的信仰、愛與勇氣，使我的心靈不斷地向上提升。

後記

胡慧玲

一九九九年十月二十二日起，至二〇〇一年四月，我與高俊明牧師、牧師娘見面四十餘次，先是訪談，繼而審訂文稿。這十八個月當中，正值台灣現代史上前所未有的遽變：總統大選、政權轉移、新政府成立、核四宣布停建又宣布續建……到政權更易周年。我，像許多人那樣，從欣喜激情，到迷惑困頓，然後是憂鬱症候群叢生。

我始終憎恨虛無主義。在最哀傷的時刻，我祈求上天，別讓這一切，使我變成我最憎恨的虛無主義者。也是這最哀傷的時候，整理和撰寫高牧師回憶錄，成了一種自我救贖，我從中得到力量。

從事口述歷史十餘年，幾乎遍歷受訪者。高牧師屬於非常罕有的那一型。他很安靜，不愛說話，更不愛說有關自己的話。他彷彿自覺此生的所做所爲，不值一提，不值一寫。所以，每次採訪時，我都必須事先準備大量的題綱，用力的問，用力的追問。否則將出現雙方沈默相對的局面。

即使如此，我相信他還沒說出來的，遠遠超過說出來的。他事事替人著想，只忘了自己。歷經不斷的艱難、試煉和迫害，甚至下獄，他都無怨無悔，不憎不恨。〈哥林多前書〉第十三章第四到第八節：「愛是恆久忍耐，又有恩慈；愛是不嫉妒，愛是不自誇，不張狂，不做害羞的事，不求自己的益處，不輕易發怒，不計算人的惡，不喜歡不義，只喜歡眞理；凡事包容，凡事相信，凡事盼望，凡事忍耐。愛是永不止息。」高牧師是今之典範。

本書依時間序和主題，共分八部。其實，以高牧師豐富精彩的傳奇人生，每部都可再擴充爲一本書；但以高牧師的人格特質，寡言少語，此事勢無可能。牧師娘則是另一型的受訪者，小扣大鳴，鉅細靡遺，富語言魅力。她的說法，塡補了高牧師諸多空白之處。

高牧師娘的故事，也是另一闋傳奇。希望將來有人能爲她，專門再做一部回憶錄；屆時，高牧師的說法，會是故事背後悠揚起伏的合音。

終於成書。感謝楊啓壽牧師、林義雄先生、李喬先生、羅榮光牧師的序和跋。感謝高長家族，特別是高昭義先生、台灣基督長老教會總會、台南神學院、新樓醫院、彰化基督教醫院、吳三連台灣史料基金會、陳文成博士紀念基金會、李喬先生、施瑞雲女士、田孟淑女士、陳銘城先生、謝三泰先生、

蕭嘉慶先生、劉振祥先生、邱萬興先生、賴永祥教授、黃彰輝牧師家人、林宗義教授提供照片和資料，審訂文稿並提供意見。

尤其是許天賢牧師的義助。多年來他一再向高牧師提起，他的一生是當代台灣基督長老教會最重要的見證，無論如何都要記錄下來。許牧師是本書幕後的催生者，他幫忙審訂文稿，校正錯誤，蒐集資料，解決我編寫中所遇的難題，永不嫌煩的對我伸出援手，高效率處理我的需求。他簡直把這本書的出版，當成自己的事。他是我的天使。

感謝吳美華小姐整理訪問錄音帶，感謝劉森雨先生、張玉珍小姐、鄭志勤小姐、張芳枝小姐的種種協助，和舞陽美術邱榆鑑先生在版面上的精心編排。感謝編輯李禎祥先生，我鍾愛準確乾淨的文字，禎祥使我的心願接近可能。

採訪是學習，撰寫是磨難。有人樂在寫字，但我不曾享受過寫字的樂趣。葉石濤先生說：「寫作是一種天譴。」天譴的過程中，有幾位友人主動扮演繆司的角色，積極肩負啓發的功能，我不便在此一一提及姓名，想必他們明白我的未竟之言。

感謝望春風文化事業股份有限公司林衡哲醫師持續多年、鍥而不捨的邀

稿。他堅定的信念，贏過我的畏懼和怠惰。感謝陳文成博士紀念基金會董事和同事的鼓舞，並長期容忍我於工時或工餘，發狂般伏案撰寫。這本書，將成爲我生命中榮耀的印記。

二〇〇一年四月五日

參考書目

1. 高昭義編著，《台南高長家族族譜》，自印，1996年
2. 新樓歷史文物小組，《新樓情‧舊相簿》，台灣基督長老教會新樓醫院，1998年
3. 楊士養編著，林信堅修訂，《信仰偉人列傳》，人光出版社，1989年
4. 吳佳霖，〈對高李麗珍參選事件之分析與回應〉，未刊稿，1989年
5. 玉山神學院編著，《山上的花園——玉山神學書院二十週年紀念冊》
6. 黃茂卿、蘇銅鐘、謝王采蘋、李柏青編著，《台灣基督長老教會太平境馬雅各紀念教會設教壹佰貳拾年史》，太平境馬雅各紀念教會，1985
7. 黃茂卿，《台灣基督長老教會太平境馬雅各紀念教會九十年史（1865--1955）》，太平境馬雅各紀念教會，1988
8. 陳玉梅，〈台灣基督長老教會的政治參與〉，國立台灣大學社會學研究所碩士論文，1995年
9. 賴永祥，《教會史話》第一輯，人光出版社，1990

10. 賴永祥，《教會史話》第二輯，人光出版社，1992，1995增訂版

11. 賴永祥，《教會史話》第三輯，人光出版社，1995

12. 賴永祥，《教會史話》第四輯，人光出版社，1998

13. 賴永祥，《教會史話》第五輯，人光出版社，2000

14. 黃武東，《黃武東回憶錄——台灣長老教會發展史》，台灣出版社，1988

15. 「認識台灣基督長老教會」編輯小組，《認識台灣基督長老教會》，人光出版社，1986

16. 高俊明著，賴勝烈譯，《瞑想的森林——高俊明詩集》，人光出版社，1989

17. 高俊明著，高李麗珍編，《獄中書簡》，人光出版社，1997，增訂版

18. 美麗島事件紀念文集編輯小組，《台灣基督長老教會與美麗島事件》，台灣基督長老教會總會，1999

19. 新台灣研究文教基金會美麗島事件口述歷史編輯小組，《珍藏美麗島——台灣民主歷程真紀錄》，時報出版文化公司，1999

20. 台南市私立長榮女子中學校刊編輯委員會編輯，《台南市私立長榮女子中學八十週年校慶紀念特刊》，1968

望春風傳記叢刊 1

十字架之路

——高俊明牧師回憶錄

口述／高俊明・高李麗珍
撰文／胡慧玲

出版者／望春風文化事業股份有限公司
董事長／陳秀麗
發行人兼總編輯／林哲雄
文字編輯／李禎祥
美術編輯／舞陽美術
社 址／104台北市中原街3號
電 話／(02)2511-1069
傳 真／(02)2563-8448
郵 撥／19318334
行政院新聞局局版北市業字第1824號

法律顧問／蕭雄淋律師
排版印刷／海王印刷公司
台灣總經銷／吳氏圖書公司
地 址／台北縣中和市中正路788-1號5樓
電 話／(02)3234-0036

2001年5月 再版一刷

ISBN／957-30457-0-2
定價／美金25元

美國版／台灣出版社
Taiwan Publishing Co.
1252 Oleander St.
Upland, Ca. 91784 U.S.A.
Tel: 909-985-9458 Fax: 909-985-5600

封面封底照片／謝三泰 封面設計／舞陽美術
贊助單位／財團法人國家文化藝術基金會

國家圖書館出版品預行編目資料

十字架之路：高俊明牧師回憶錄 / 高俊明,
高李麗珍口述：胡慧玲撰文, 初版. - 臺北市：
望春風文化, 2001〔民 90〕
面；15 x 20.8 公分. --(望春風傳記叢刊；1)
參考書目：2 面
ISBN 957-30457-0-2 (平裝)

1. 高俊明 訪談錄 2. 高李麗珍 訪談錄
3. 牧師 台灣 傳記

249.886 90005244